# Colombia, mi abuelo y yo

Relatos mágicos de nuestra geografía

# Colombia, mi abuelo y yo

Relatos mágicos de nuestra geografía

## Pilar Lozano

**Tercera edición** en Panamericana Editorial Ltda.,
febrero de 2012
© 2012 Pilar Lozano Riveros
© 2012 Panamericana Editorial Ltda.
Calle 12 No. 34-30, Tel.: (57 1) 3649000
Fax: (57 1) 2373805
www.panamericanaeditorial.com
Bogotá D. C., Colombia

**Editor**
Panamericana Editorial Ltda.
**Edición**
Mireya Fonseca Leal
**Ilustraciones**
Carlos Riaño
**Diagramación**
Marca Registrada Diseño Gráfico Ltda.

ISBN 978-958-30-3932-4

# A mis nietos
# Aitana y Lorenzo

*Agradezco a todos los que me ayudaron a que este cuento sea algo parecido a una geografía. Tomás Stévez, Santiago Suárez, Eduardo Arias, Leonel Giraldo, Marta Lozano, Carlos Lozano.*

*También quiero expresar mis sinceros agradecimientos a las personas que me ayudaron a la recolección de datos y a la corrección final: María Isabel García, María Cristina Lamus, Magdalena Arango, Sonia Borrás, Marcela Lozano, Rocío Lozano, Rocío Silva y Laura Vanegas.*

# Contenido

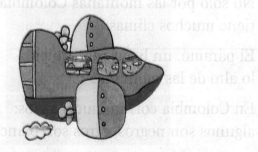

# Tierno y aventurero, así era mi abuelo

**M**i abuelo se llamaba José. Para mostrarle mi cariño, yo le decía Papá Sesé o viejo.

Fue un hombre tierno y muy sabio. A veces también un poquito cascarrabias. Así son todos los abuelos. Pero él tenía algo especial: era muy curioso y un gran aventurero.

Lo que más recuerdo de él son sus ojos. Parecían los de un niño pícaro y travieso. Siempre usaba un sombrero de corcho, tan blanco como su barba, un par de botas de caucho y un pantalón descolorido.

Mi abuelo era como un topo. Todo lo hurgaba. Pertenecía a esa clase de hombres que no se contentan con saber las cosas de oídas. Él tenía que conocerlas. Si le hablaban del barro, no descansaba hasta embadurnarse con él. Solo así se sentía satisfecho.

Leía mucho, caminaba mucho, viajaba mucho. Todo lo estudiaba y lo observaba. En sus bolsillos siempre había una libreta en la que iba tomando notas.

Le hubiera gustado haber nacido, en el siglo XIX; haber trabajado con los hombres que abrieron montañas para dar paso a los caminos, para haber sido arriero.

Se sentía orgulloso de conocer su país de norte a sur y de oriente a occidente. "Viajé por ríos y montañas. Solo me acompañaban las constelaciones que me servía de guía", decía. Amaba las estrellas. La astronomía fue una de sus grandes pasiones. Ya viejo aprendió a usar Internet; pasaba horas y horas navegando en el ciberespacio.

Al morir, me dejó un baúl. En él encontré un globo, un telescopio, mapas, libros, fotografías, brújula, escuadra y compás, una plomada, libretas y papeles sueltos repletos de notas. Además una lista de sus páginas web preferidas. En ellas hurgó mucho, en sus últimos años, tratando de descubrir los misterios del universo.

# Quiero ser díscolo y soñador, como los hombres que esculcan el universo

**P**apá Sesé era un enamorado de las estrellas. Pasaba noches enteras acostado en el jardín contemplando el firmamento. Aún recuerdo los regaños que le daba mi abuela.

—Estás loco. ¡Te vas a resfriar! —le decía ella pero él no le hacía caso. Seguía mirando hacia arriba y tomando notas en su viejo cuaderno.

Tiempo después supe que así como el abuelo fueron los primeros astrónomos:

gastaban noches y noches enteras mirando el cielo. No poseían ningún instrumento que les ayudara a descubrir los secretos del universo. No les importaban ni los regaños, ni los resfriados. Podían durar toda la vida persiguiendo los pasos de una misma estrella en la noche.

En uno de los libros que heredé de mi abuelo, leí sobre la vida de aquellos primeros hombres que esculcaron el firmamento. Me fascinó la historia de Nicolás Copérnico. En los tiempos en que todos creían que la Tierra no se movía, que estaba quieta y en torno a ella giraban la Luna, el Sol, todas las estrellas y los planetas, ¡el universo entero!, él insistió en afirmar que ella daba vueltas alrededor del Sol. Por decir esto lo llamaron loco y prohibieron la lectura de sus libros. A otro "esculcador", Galileo Galilei, lo acusaron de herejía por apoyar las ideas de Copérnico. Galilei construyó su propio telescopio. Con él, descubrió que en la Luna había montañas y le vio cuatro lunas a Júpiter: Io, Europa, Ganímedes y Calixto.

Yo sí creo que los estudiosos del universo tienen algo de díscolos y soñadores. Lo digo por lo que he leído y, claro, por mi abuelo. El viejo gozó como nunca el día en que el hombre llegó a la Luna. Casi enloquece de alegría ese 20 de julio de 1969, me contó.

Se dedicó a comprar todas las revistas y los libros que hablaban de la hazaña. No pensaba más que en la conquista del espacio. Se compró un gran telescopio. Papá Sesé, el telescopio y yo pasamos muchas horas juntos.

 *Al Universo lo integran millones y millones de galaxias. A las galaxias las forman millones y millones de estrellas, polvo cósmico y gases.*

Ésta fue la primera lección de astronomía que aprendí. Confieso que en un comienzo no me interesó para nada el tema. Pero un día sentí curiosidad. Ocurrió exactamente cuando vi por primera vez el cielo a través del telescopio. Tuve la sensación de estar flotando como un astronauta por el espacio. Con este aparato, los planetas y las estrellas se acercan tanto que, por un momento, me sentí capaz de tocarlos con la mano.

Por indicación de mi abuelo busqué primero la Luna. ¡Qué divertido! Recuerdo que me pareció como un inmenso queso, de esos que tienen agujeros muy grandes y les gustan a los ratones. Luego miré a Marte. Es una bola roja. Pero el más bonito —y aún mi preferido—es Saturno. Con sus anillos de muchos colores, da la impresión de ser un platillo volador.

Poco a poco, el telescopio, los libros y mi abuelo me ayudaron a entender mejor el universo. Pronto comprendí que es un espacio inmenso y oscuro por donde viajan a millones de kilómetros por hora las galaxias, dando vueltas sobre sí mismas como si fueran remolinos.

La Tierra hace parte de una galaxia: la *Vía Láctea*. En esta galaxia habita también una estrella especial: el Sol. Es como una inmensa bola de fuego. Los sabios dicen que jamás podremos llegar hasta ella. Nos derretiría su calor antes de alcanzarla.

Alrededor del Sol se mueven los planetas. Sus nombres los aprendí a recitar de memoria, desde el más cercano al Sol, hasta el más lejano: Mercurio, Venus, la Tierra, Marte, Júpiter, Saturno, Urano, Neptuno y Plutón. Algunos son nombres de dioses antiguos: Mercurio, el dios del comercio; Venus, la diosa del amor; Marte el de la guerra...Pero hay muchas preguntas que desvelan a los astrónomos de hoy : ¿Es Plutón un planeta? ¿Hay más planetas?.

El sistema solar es como una gran familia formada por los planetas que giran alrededor del sol; por las lunas, satélites naturales que giran en torno a los planetas y por el cinturón de asteroides, especie de planeta desintegrado en pequeños trozos, que se interpone entre Marte y Júpiter.

El Sol, como un benevolente padre, les reparte a todos luz y calor. Como Venus está tan cerca del Sol, recibe mucho calor; si colocáramos un soldadito de plomo en su superficie, se derretiría en muy poco tiempo. Como Plutón se halla tan lejos, su superficie es muy fría; allí los helados se harían en un instante.

Una obsesión del viejo era hacerme entender que el universo está prácticamente "vacío". Esto a pesar de estar habitado por millones y millones de galaxias. Un día me sentó a su lado y me dijo algo que sonaba muy importante:

—Escucha muy bien. El Sol es gigante; la Tierra cabría en él más de un millón de veces. Si jugamos a que el Sol es un balón de un metro de ancho, la Tierra sería como una arveja. La distancia del Sol a la Tierra es de 150 millones de kilómetros. ¡No me cabe en la imaginación esa distancia inmensa! —agregó, llevándose las manos a la cabeza. Luego añadió: —Si el Sol fuera ese balón y la Tierra la arveja, la distancia entre uno y otra sería como de una cuadra.

Así, mi abuelo me fue haciendo comprender los tamaños y las distancias de todos los planetas. Cerré los ojos y traté de imaginar un siste-

ma solar de juguete. Me fue imposible. Salí entonces con el viejo al parque del barrio, uno de esos que ocupan una manzana. Allí, él me invitó a fabricar un pequeño sistema solar. En una esquina colocamos el balón.

—Este será el Sol —dijo el abuelo.

En la otra esquina pusimos una arveja: la Tierra. Luego situamos los planetas que están entre el Sol y la Tierra: Mercurio, tan pequeñito como una cabeza de alfiler, y Venus, representado por otra arveja.

En el parque ya no podíamos ubicar más planetas. ¡Sin embargo estaba vacío! No jugamos más. Para colocar a Neptuno en nuestro diminuto sistema solar, nos hubiera tocado caminar muy lejos. ¡Más de cincuenta cuadras! Y Neptuno sería un pequeño limón... Sí, Papá Sesé tenía razón.

## ¡El universo permanece prácticamente "vacío"!

Ese día —y me ocurre siempre que pienso en esto— temblé al imaginar lo fácil que es perderse en el espacio. ¡La distancia entre uno y otro objeto cósmico es, muy, pero muy grande!

Para ir a la Luna, que parece cercana, ¡tardaríamos 16 días con sus noches, viajando en *jet*!

Me gustaba escuchar las historias sobre estrellas que contaba mi abuelo. Me fascina pensar que nacen y mueren como los humanos. Una noche soñé con ellas. Unas eran niñas, otras jóvenes, otras como mamás y otras viejitas como abuelas.

Tuve este sueño porque antes de irme a la cama, él me contó que las estrellas cambian de color de acuerdo con la edad. Son azules cuando jóvenes; amarillas cuando empiezan a madurar; rojas al llegar a la vejez y, cuando están cerca de la muerte, se vuelven negras y blancas. Por fortuna se necesitan muchos siglos para que esto ocurra, pues viven millones y millones de años. ¡Hasta quince mil millones!

Otra de las alegrías de mi abuelo fue ver pasar, en 1986, el *cometa Halley*. "Parece una estrella arrastrando una cola de luz", me explicó. Se quejaba, eso sí, porque pasó muy lejos y se vio pequeñito.

Los antiguos describieron los cometas como cabelleras humanas arrastradas por el viento. Los astrónomos modernos dicen que estos "visitantes del reino de las estrellas" son bolas de roca, hielo y gases. Los cometas andan errantes por el espacio cósmico.

El Halley es uno de los más grandes. Se acerca a la Tierra cada 76 años. En l910 se arrimó tanto, y se vio tan grande, que la gente se asustó. ¡Creían que llegaría el fin del mundo!

— ¡Tú podrás ver esta roca viajera del espacio en el 2062!— me repitió muchas veces mi abuelo.

# Nuestro planeta Tierra da vueltas y vueltas

—Los terrícolas somos habitantes de una nave espacial —repetía Papá Sesé.

A veces, él dibujaba la Tierra repleta de niños vestidos de astronautas. Me explicaba que nuestra astronave nunca se detiene.

—El universo es como una feria de juegos mecánicos donde todo está en permanente movimiento. La Tierra gira sobre sí misma, gira alrededor del Sol, gira con el sistema solar dentro de la galaxia, y viaja con la galaxia por el universo. Somos viajeros espaciales —concluía—.

A mí me costaba mucho trabajo imaginarme a un mismo tiempo todos estos movimientos. Mi abuelo buscó entonces un ejemplo que me ayudaba a entender mejor las cosas.

—Pequeño —me dijo con cariño—, piensa en un platillo volador, de esos que aparecen en las películas de guerras intergalácticas. Se mueve a gran velocidad girando y girando. Ese platillo es la galaxia. Ahora imagina que en un rincón del platillo hay un trompo. Ésa es la Tierra. Mientras gira sobre sí misma, como cualquier trompo, también da vueltas alrededor de un punto. Pues bien, los terrícolas viajamos siempre en el trompo y, a la vez, en el platillo volador.

—Menos mal que no sentimos estos movimientos —comenté con un suspiro de alivio—. ¡Viviríamos siempre mareados!

Mi abuelo se rió con ganas de mi ocurrencia. Me dio una palmadita en la espalda y me dijo:

—Veo que lo entendiste, pequeño.

Ahora que soy más grande, se más sobre los movimientos de nuestro planeta. Alrededor de si misma la tierra da un giro cada 24 horas, demora ¡un día completo!

Como la Tierra es redonda y gira y gira los terrícolas nos turnamos el día y la noche. Siempre hay media Tierra de cara al Sol, con luz, y otra media en tinieblas. Cuando los niños están almorzando en Bogotá, al otro lado de la Tierra, en Singapur, los niños están con piyama y en la cama, en plena medianoche.

Al rededor del Sol, la Tierra viaja rapidísimo: 30 kilómetros en un segundo. Cada vuelta completa es un año, ¡24 meses!

A mí me gusta ser un terrícola. Aquí tenemos la luz y el calor necesarios para que existan las flores, los perros, los gatos, las personas...

Bueno, confieso que envidio algunas cosas de los otros planetas. A Saturno le envidio sus anillos. ¡Son hermosos! Y a Júpiter sus satélites. ¡Le han contado 39! ¡Qué tal que en la Tierra tuviéramos tantas lunas! ¡Sería fantástico!

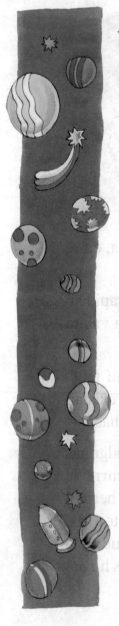

Mi abuelo me explicó por qué Júpiter tiene varias lunas: "Es un planeta capturador de cometas. Como es grandote, los atrae y los convierte en sus satélites".

Yo amo la Luna. Siempre sueño con jugar allí. ¡Podemos brincar seis veces más alto que en nuestro planeta! Allí todos seríamos grandes beisbolistas. Con un batazo la pelota iría seis veces más lejos. ¡Haríamos muchos jonrones!

Envidio de Urano sus lunas, a las que los astrónomos llaman Pastoras. Tienen nombre: Titanía, Oberon, Ariel, Umbriel y Miranda. Dicen que son inmensas. Cada una guía una especie de rebaño de piedras que forman anillos alrededor de ese planeta. Eso lo leí en Internet. El Voyager II (Viajero II), esa nave espacial que viaja desde 1977 por el universo cargada de aparatos para estudiar y fotografiar los planetas, descubrió este rebaño de piedras de Urano.

Cómo gozó mi abuelo con la instalación de la Estación Espacial Internacional. ¡Una verdadera ciudad científica espacial! Va creciendo cada vez que sube un transbordador al espacio.

Solo cuando nos sentamos a ver la página web de la NASA pude entender cómo funciona esta maravilla. "De niño, esto lo imaginé solo en ciencia ficción", comentó mi abuelo.

Ver esta página— www.nasa.gov— fue el último encarrete del viejo. Allí cuelgan las fotos enviadas por los telescopios espaciales, telescopios robots inteligentes, que flotan en el espacio; son subidos al cielo en poderosos cohetes.

Y están también las fotos enviadas por los laboratorios robots desde Marte. Son como pequeños tractores que ruedan por la superficie de ese planeta. Tienen paneles solares para alimentar sus baterías, brazos mecánicos para hacer excavaciones, recoger suelo y rocas marcianas y analizarlas automáticamente en su barriga–laboratorio. Además tienen cámaras fotográficas y filmadoras. Cada día nos enseñan más sobre el planeta más cercano a nosotros.

—¡Te tocará ver a los hombres descender en Marte!— fue de las últimas cosas que me dijo mi abuelo.

# Las calles y carreras de la Tierra

Mi abuelo no solo amaba su telescopio. Quería también sus mapas, sus fotos, sus apuntes. Llegó a tener un montón de cosas. Mis padres resolvieron dejarle un cuarto un tanto abandonado y escondido en el último rincón de la casa. Allí montó su refugio; su cuarto de cachivaches, como él mismo lo llamaba.

Cuando no estaba de viaje, o mirando las estrellas, él se la pasaba allí encerrado. Recuerdo ese cuarto perfectamente. ¡Pasé tantas horas allí con Papá Sesé!

En un rincón acomodó un baúl, que más tarde heredé, repleto de mapas, álbumes y notas. Sobre una mesa colocó un globo terráqueo. De cada pared colgaba un mapa: un mapamundi gigante, uno de América y dos distintos de Colombia.

Había también tres butacas, una de las cuales siempre la consideré mía, y un estante donde ordenó el viejo sus libros. En el piso acomodó cojines y cuando se encerraba en su mundo, siempre vi montañas de documentos regados en el suelo y en ese "desorden" tuvo su sitio, pocos años, el computador...

Pero el objeto central del cuarto parecía el globo terráqueo. Mi abuelo lo consentía como si fuera un niño. Tenía razón. Era maravilloso. Estaba hecho de vidrio y por dentro lo alumbraba una bombilla. Muchas noches nos encerrábamos en el cuarto, apagábamos la luz y encendíamos el globo. Nunca lo olvidaré. ¡Me sentía envuelto en un ambiente misterioso que me permitía descubrir todos los secretos del mundo! Con el globo iluminado desde adentro, podíamos ver perfectamente todos los países, cada uno con sus ríos, sus montañas...¡Era como estar a solas con la Tierra!

Así como en las ciudades hay calles y carreras para orientarnos y no perdernos, los científicos inventaron líneas imaginarias para ubicar los países en el mundo. Las llamaron paralelos y meridianos.

Las primeras atraviesan el globo de manera horizontal; los meridianos, verticalmente.

El Ecuador— ¡el centro del mundo!— y el trópico de Cáncer y el de Capricornio, que pasan al norte y al sur de este, son los paralelos más importantes. Aún más al norte y más al sur, se encuentran las líneas polares.

La guía para medir los meridianos es la línea vertical que pasa exactamente por Greenwich, una ciudad cercana a Londres, la capital de Inglaterra.

Pero mi abuelo y yo decidimos llamar carreras y calles a paralelos y meridianos. Pasábamos horas enteras jugando a dar con la dirección de los países.

Las reglas eran sencillas: la línea horizontal que cruza el globo por la mitad y lo divide en dos partes iguales, el norte y el sur — la línea ecuatorial—, era la carrera número cero. De allí hacia el norte, contábamos 90 carreras y hacia el sur otras 90. Claro que en el globo solo aparecían dibujadas de 15 en 15.

Las calles empezaban en Greenwich. De ahí contábamos 180 calles al oriente y 180 al occidente. Con las calles ocurre igual que con las carreras: solo están de 15 en 15.

La dirección de Colombia sería así: país situado entre las carreras 12 Norte y 4 Sur, entre calles 66 y 79 Oeste.

Bueno, en el colegio siempre diré que Colombia se encuentra entre los 12 grados latitud Norte y 4 grados latitud Sur, y entre los 66 y 79 grados de longitud Oeste.

Además de ubicarnos, los paralelos dividen el mundo en grandes zonas: la zona tórrida, abarca los países del centro del planeta; las zonas templadas, comprendidas entre los trópicos de Cáncer y Capricornio y las líneas polares; y los polos en los extremos Norte y Sur de la Tierra.

La zona tórrida es la más caliente porque recibe más luz y más sol durante todo el año.

En las zonas templadas están los países que tienen estaciones: primavera, verano, otoño e invierno. En esas regiones, todos los años cae nieve. ¡Siempre he soñado con levantar un muñeco de nieve y vestirlo de Papá Noel, en la noche de Navidad! Es lo que hacen los niños de Europa, de Estados Unidos, de Chile y Argentina.

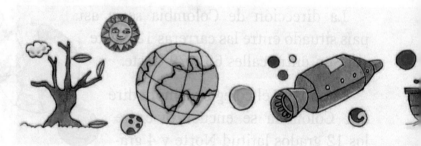

En los polos, norte o sur, no me gustaría vivir... A menos que me dé por ser un investigador. Así viviría en los centros de experimentación sobre recursos naturales que existen allí, y no me importaría que la noche durara seis meses y el día otros seis.

Los meridianos también tienen otra función: determinar la hora en las distintas ciudades del mundo. Es fácil: partiendo de la calle cero—Meridiano de Greenwich — hacia el Oeste, cada 15 meridianos o grados hay una hora menos, y hacia el Este una hora más. Por ejemplo, cuando en Greenwich son las 6 de la tarde, en Bogotá, que está en la calle 74 Oeste, serán 5 horas menos, o sea la una de la tarde.

Este juego de las horas me gusta más hoy cuando soy grande. Cuando estaba más pequeño, las sumas y las restas eran un dolor de cabeza.

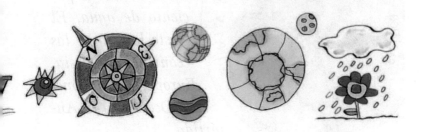

# Un país con dos océanos a sus pies

**M**i abuelo tenía la costumbre de escribir notas hasta en las servilletas y en los mapas. En éstos apuntaba las cosas más importantes. Un día me reveló que lo hacía simplemente para que yo, que era tan pequeño, las recordara.

Por ejemplo, en el mapamundi —que era todo en colores —trazó un recuadro. En él escribió:

*La superficie del planeta Tierra está cubierta en un 72 por ciento de agua. El resto lo ocupan los continentes: Asia, Europa, África, América, Oceanía y la Antártida.*

Yo participé en la elaboración de algunos recuadros. Me encantaba ayudarle. Era como un juego para mí.

Un día descubrí un recuadro en el que yo no había participado. Lo debió hacer el viejo a escondidas. Estaba escrito en el mapamundi y se llamaba:

### Ventajas de la posición geográfica de Colombia

Decía así:

*1. América del Sur parece un triángulo parado en una punta. Colombia está en la mejor de sus esquinas.*

*2. Colombia tiene costas sobre los dos océanos más grandes de la Tierra, el Atlántico y el Pacífico. Por el Atlántico nos podemos comunicar con Europa y África, y por el Pacífico, con Australia y Asia. A Norteamérica y Centroamérica llegamos por las dos costas, utilizando, en el caso del Pacífico, el canal de Panamá.*

### 3. Colombia está próxima al canal de Panamá, el de mayor movimiento comercial del mundo.

---

Confieso que cuando lo vi por primera vez me pareció un cuadro algo aburrido. ¡Una lección del colegio! Tomé mi butaca, la acerqué a la pared, me arrodillé en ella y me dediqué a mirar con detenimiento el mapamundi. Quería entender el recuadro. Algo interesante debería tener si lo había hecho el viejo. El mapa de Colombia estaba demarcado en rojo. Así fue más fácil darme cuenta de la ubicación privilegiada de mi país. Está en la mitad del mundo, en la zona tórrida, y con un gran pedazo rodeado de agua. ¡Un país con dos océanos a sus pies!

Mi abuelo me contó que en el pasado los barcos debían ir hasta la Patagonia, al extremo sur del continente americano, si querían cruzar de un océano a otro. Eran días y días de viaje. Hoy se pasa del Atlántico al Pacífico por mucho en ocho horas, por el canal de Panamá. Al año cruzan por allí unos 13 mil buques de diferentes países.

Papá Sesé solía decir que Colombia tiene una forma extraña.

—Mira —me dijo un día—. Observa muy bien los países del mundo. Apuesto a que no encuentras un país con una forma más difícil de pintar que Colombia.

Obedecí contento. Apagué la luz del cuarto y prendí la del globo. Me senté en la butaca y me dediqué a observar la forma de cada uno de los países: Estados Unidos parece un rectángulo, Chile es como una culebra, Italia como una bota, Egipto se puede pintar casi con cuatro líneas, la India es un triángulo patas arriba, y Colombia parece una estrella de cinco puntas, chueca y mal dibujada.

Estaba entretenido en este juego cuando mi abuelo me llamó la atención:

—Te voy a mostrar algo —me dijo mientras abría su baúl. Sacó un viejo mapa y lo extendió—. Así era Colombia a finales del siglo XIX —comentó.

Quedé asombrado. Era una Colombia distinta. Más grande, más fácil de pintar, casi redonda, y ¡Panamá formaba parte de ese antiguo país!

Mi abuelo tomó de nuevo el mapa y mientras lo guardaba en el baúl me dijo:

—Tenemos un millón 141 mil 695 kilómetros cuadrados de tierra en el continente. Si contamos la superficie de las islas y los cayos que poseemos en los mares, aumenta a un millón 141 mil 748.

—Con las aguas territoriales, en el Atlántico y el Pacífico, completamos 2'070.408.

—Te sorprendió ver a Panamá en el viejo mapa, ¿verdad? —me preguntó mientras pasaba su mano sobre la cabeza—. Te voy a contar: en la época en que los países que tenían más barcos navegando por los mares del mundo empezaron a hablar de la importancia de un canal para unir los dos océanos, Panamá era un departamento de Colombia. Sin embargo, en 1903, en un episodio desafortunado, Panamá se convirtió en un nuevo país.

—Bueno, bueno. Inventemos otro juego. ¡Ya sé! Mira el mapa. Adivina: ¿Cuántas veces cabe Colombia en los países más grandes, y cuántas veces caben los países más pequeños en el nuestro?

Me entusiasmó la idea. Observé el mapa.

—Sí, Colombia no es grande ni pequeña. Estados Unidos es muy grande —le dije—.

También Australia y Brasil...España e Italia parecen más chiquitos. ¡El Salvador es chiquitico!

Mi abuelo abrió de nuevo el baúl y sacó un libro. En él aparecían los datos más importantes sobre todos los países del mundo. El viejo tomó también un lápiz y un papel. Lo vi haciendo divisiones.

—Pinta un recuadro —me ordenó cariñosamente—, y escribe:

*No somos ni grandes ni chiquitos. Colombia cabe en los Estados Unidos ocho veces; en Brasil siete. En cambio, Ecuador cabe cuatro veces en Colombia, España dos y El Salvador 54 veces.*

Este fue el tercer recuadro que pegamos en el mapamundi de colores...

# Fronteras en la selva
# y fronteras en el mar

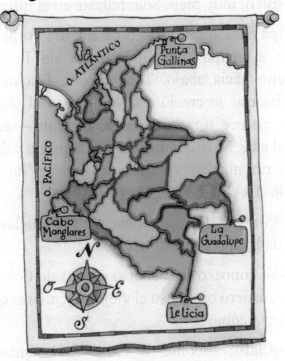

Una noche mi abuelo me dijo:

—Observa otra vez el mapa y dime: ¿qué puntos están más al norte, más al sur, más al este y más al oeste de Colombia?

Tomé mi butaca y me planté frente al mapa.

—Al norte, Punta Gallinas —grité feliz—. Al sur, Leticia...Cabo Manglares al oeste y Puerto Carreño al este.

—Bien, muy bien. Solo fallaste en el último.

Papá Sesé tomó mi dedo y me hizo señalar sobre el mapa una línea recta de Puerto Carreño hacia abajo. Tenía razón. Esa nariz flaquita que le creció a Colombia en el Guainía— parece una trompa de elefante— está más al este. Miré detenidamente la punta y descubrí un nombre escrito con la letra de mi abuelo: La Guadalupe.

—Punta Gallinas, Leticia, Cabo Manglares, La Guadalupe —repetí triunfante.

—Yo conozco esas cuatro puntas de Colombia —susurró orgulloso el viejo—.¿Quieres que te cuente cómo son?

—¡Claro! —contesté. Salté de la butaca, busqué un cojín y me arrunché en él. Me encantaba escuchar así las historias de mi abuelo. Me sonaban a esos cuentos con los que nos arrullan en la cuna.

—Vamos primero al norte, a Punta Gallinas. En medio de un inmenso desierto empieza Colombia. Allí conocí el faro que daba las señales de peligro a los navegantes que venían del norte. Al lado, en un rancho a veces dormía el guardafaro. Este hombre limpiaba el faro y cambiaba cada año la bomba de gas que alimentaba su luz.

—Punta Gallinas es el sitio más al norte del territorio continental colombiano. Pero el pueblo ubicado más al norte se llama Taroa. Allí todo es arena. Sus casas parecen sucias de tanto soportar las tormentas de polvo.

—Si tú fueras un niño de Taroa, te levantarías muy temprano. Tal vez cuidarías las cabras y tendrías un burro para ir por el agua. En la Alta y Media Guajira, este es el oficio de los niños. Ellos deben recoger en bidones el agua de los jagüeyes; así llaman a los pozos donde recogen el agua lluvia.

—Si fueras de Taroa, tu mamá sería indígena wayúu. Se vestiría con bellas mantas hechas con metros y metros de telas de colores. Ella, al igual que tú, usaría jutepa, un polvo negro que se unta en la cara para protegerse del sol y los vientos.

—Para estudiar tendrías dos opciones: ir a la escuela del pueblo, o ir al internado indígena de un pueblo llamado Nazareth. El internado funciona en una casa inmensa. En los dormitorios no hay camas sino hamacas, y las clases se dictan en wayuunaikí y en español.

—Los hombres de Taroa viven de la pesca de langosta y de tortuga. También se dedican a cuidar rebaños de cabras.

—Vamos ahora al sur, a orillas del río más caudaloso y ancho del mundo: el Amazonas. Allí, en medio de la selva, está Leticia. Es la ciudad colombiana más al sur. Pero el sitio más al sur queda donde la quebrada San Antonio regala sus aguas al Amazonas. De ahí en adelante la selva pertenece a Perú y a Brasil.

—Si fueras un niño de Leticia, tal vez sabrías portugués. Conocerías más de la televisión y de las noticias del vecino país que del tuyo. Quizás también creerías en leyendas como las que escuché una noche en Boi–Aua–Suu.

—Este es un caserío indígena en la frontera con Perú. Estas leyendas tienen que ver con el Amazonas, un río al que se ama, pero al que también se le teme.

—Los pobladores de Boi–Aua–Suu relatan que un fantasma habita en sus aguas. Se llama Yucumuna. Es una gigantesca serpiente que se disfraza de navío en las noches de tormenta. De su interior brota un lamento que hechiza a los pescadores. Cuando éstos se acercan, Yucumuna, en silencio, se los lleva.

Cuentan que existe otra terrible y voraz serpiente de fuego que ataca a quienes queman la vegetación que crece a orillas del río. Además aseguran que por las aguas del Amazonas viaja un pez grande, rosado, que enamora a las mujeres.

—Dejemos por ahora las leyendas, y vamos al occidente, a Cabo Manglares. Es un pueblo gris, de casas de madera. Se encuentra en el sitio donde el río Mira desemboca en el Pacífico. La escuela a la que asisten los niños como tú, está construida también de madera.

—Como hay una sola profesora, los alumnos de todos los cursos de primaria comparten un mismo salón. Cuando las clases terminan, los niños se van de pesca. Si los vieras te daría envidia. Tienen pequeñas canoas, a las que llaman potrillos. Cada uno coge el suyo, se impulsan con sus remos y se van por los caños...

—En el Cabo Manglares que yo conocí no había acueducto, ni médico, ni luz eléctrica. Cuando sus habitantes se enfermaban, o necesitaban comprar sus cosas, viajaban a Ecuador. Las cosas parecen seguir igual.

—Existe algo muy lindo en Cabo Manglares. Las flores de un día. Son flores que abren sus pétalos a las seis de la mañana y mueren a las seis de la tarde. Viven solo un día.

Cerré los ojos para tratar de imaginarlas. Creo que Papá Sesé pensó que yo estaba aburrido o dormido. De repente me preguntó si recordaba el nombre del pueblo situado más al este de Colombia.

—El de la punta de la trompa de elefante —me dijo—. Por fortuna ya lo sabía de memoria.

—La Guadalupe —le respondí—.

Pero no me aguanté las ganas de aclararle que yo no estaba ni dormido ni aburrido.

—Papá Sesé, cerré los ojos porque quería soñar con las flores de un día, con Yucumuna, con el pez rosado, con los niños de Taroa...—le dije. El viejo quedó contento, me abrazó y continuó con su historia.

—La Guadalupe está frente a la piedra más bella que conozco: la piedra del Cocuy. En los viejos libros de geografía decía que pertenecía a Colombia y servía de límite entre nuestro país, Brasil y Venezuela. Por eso, cuando la visité por primera vez, sufrí una terrible desilusión. ¡Es toda de Venezuela!

—Muy grande y gris, la piedra parece puesta adrede para romper el paisaje siempre igual

47

de la selva. Debe ser tan alta como un rascacielos. Desde horas antes de llegar hasta ella, mientras se viaja en canoa, se ve reflejada en las aguas del río Negro.

—Como cada lado del río pertenece a un país, las embarcaciones deben llevar siempre las banderas de Colombia y Venezuela. Justo a partir de la piedra del Cocuy, el río y la selva pasan a ser de Brasil.

—Al lado de la piedra, Venezuela tiene un puesto militar. Brasil también construyó un pueblo en la frontera. Se llama Cocuy. Allí aterrizan todos los días aviones que traen provisiones. Es un pueblo con panadería, hospital, cine y hasta billares.

—Nuestro último pueblo se llama La Guadalupe, un caserío de pocas casas donde viven el inspector, el maestro, los colonos y los indígenas curripacos.

—Los colombianos que viven a orillas del río Negro, se ven obligados a viajar por caminos, caños y ríos venezolanos, para llegar a Puerto Inírida, la capital del Guainía. Allí pueden tomar un avión que los lleve al interior del país.

Mi abuelo hizo un largo silencio. Luego se acercó al cojín donde yo estaba acurrucado, me dio una palmadita en el hombro y me dijo:

—Siento un poco de tristeza cuando hablo de las fronteras de Colombia. ¡Los que viven allí pasan muchos trabajos! —agitó sus largos brazos con un gesto de enojo. Sacudió la cabeza y agregó:— ¡dependen demasiado de los países vecinos!

Y prosiguió su relato:

—Colombia posee fronteras con Venezuela, Brasil, Ecuador, Perú y Panamá. Son casi todas zonas selváticas a donde resulta difícil llegar. La más inhóspita y deshabitada es la de Panamá. La serranía del Darién es una barrera de espesa manigua y húmedos pantanos que separa los dos océanos. Por esto la llaman el tapón del Darién.

—En esta estrecha franja de tierra, parece que hubiera encallado el arca de Noé. Corretean animales que bajan del norte y que suben del sur; que vienen del Atlántico y del Pacífico. Las aves que huyen del invierno, en el norte o el sur, hacen allí una de sus más largas escalas.

—En las ciénagas y los pantanos, las "orejas de mula", plantas flotantes, forman hermosos tapetes verdes.

—Muchos se oponen al proyecto de destapar este tapón para darle paso a una carretera que una a toda América, desde la lejana Patagonia hasta la fría Alaska.

—Bueno, bueno, ya he hablado mucho, y es hora de ir a dormir —dijo finalmente Papá Sesé—. Pero, ¿sabes? —añadió cuando yo ya le había dado el beso de las buenas noches y estaba a punto de salir del cuarto—, Colombia tiene fronteras con otros países, van por entre las olas del mar. ¡Además, tenemos una ñapa de territorio muy, pero muy cerca de Jamaica! Otro día te hablaré de ello.

Me fui a dormir pensando que mi abuelo estaba confundido. ¿Fronteras en el mar? ¿Colombia con territorios cerca de Jamaica, esa isla que está cerca de Estados Unidos y no tan lejos de nosotros? ¡Eso no lo había escuchado nunca!

# Un paseo que echó a perder una bella teoría

Confieso que entender la razón de por qué existen tantos climas no fue para mí nunca un asunto sencillo. Me sabía como una lección aprendida de memoria aquello de que Colombia queda en la zona tropical, la más cálida y lluviosa de la Tierra. También repetía como en una cantaleta que la altura determina la temperatura en el trópico.

Cuando yo era muy, pero muy pequeño, creía que cuanto más alto viviera uno en la montaña, más calor hacía. Para mi era claro que mientras más

51

se subiera, más cerca se estaba del Sol. Total, que allá arriba hacía más calor... Ahora me rio de mis ideas de niño. Aún pensaba así cuando un día organizaron en la familia un paseo a tierra caliente. Empacamos los vestidos de baño, las sandalias, los sombreros y las cañas de pescar. Íbamos para un río.

Papá tenía una camioneta muy larga y, como siempre, Papá Sesé y yo nos sentamos en la parte de atrás. Al instante me di cuenta de que el viejo llevaba los bolsillos llenos de cachivaches. Las libretas, los lápices, los anzuelos casi rompían sus bolsillos. Pero entre todo ese montón de cosas, me llamó la atención un instrumento que nunca antes había visto.

Parecía casi igual al termómetro con el cual mi mamá media mis fiebres. La única diferencia era que estaba pegado a una base de madera en la que se veían muchas líneas y varios números.

—Fíjate —me susurró mi abuelo tomando este objeto entre sus manos —. Es un termómetro. Con él vamos a medir "la fiebre" del aire en cada uno de los sitios por donde pasemos. Observa —me dijo antes de partir—: aquí marca 14 grados de temperatura. Hace frío.

Por fin arrancamos. Mi primera sorpresa fue ver que en lugar de subir por las montañas, y acercarnos más al Sol, nos alejábamos de él. La carretera descendía en medio de peligrosos precipicios. Al poco tiempo empezamos a bajar los vidrios de las ventanas. Hacía un poco de calor. Luego tuvimos que quitarnos los sacos. Después de dos horas de viaje, mi abuelo dijo tras un largo suspiro:

—Huele a tierra caliente. ¡Qué maravilla de olor! Las flores, las plantas, el color, todo es distinto en tierra caliente.

El viejo sacó de nuevo el termómetro. Sin decirme nada lo puso ante mis ojos. La raya roja había crecido. ¡La temperatura había aumentado 14 grados desde que salimos de la ciudad! ¡El termómetro señalaba ahora 28 grados!

Papá Sesé sonrió maliciosamente y me dijo:

—Ahora estamos más abajo, pero hay más calor porque más capas atmosféricas nos separan del Sol. Es como si tuviéramos más cobijas encima.

Llegamos al río y sacamos el equipaje. Mientras mi mamá y mi papá organizaban las cosas, mi abuelo tomó de su bolsillo una libreta y un lápiz. Pintó una montaña y la dividió en cinco partes. Las llamó pisos térmicos. De abajo arriba fue escribiendo lo siguiente frente a cada parte:

Piso cálido: va desde la orilla del mar hasta los 1.000 metros de altura. Sus temperaturas son superiores a los 24 grados centígrados. Casi el 80 por ciento del territorio de Colombia pertenece a este clima.

Piso templado: está ubicado entre los 1.000 y los 2.000

metros de altura. Pertenece a este clima, más o menos el 10 por ciento de la superficie del país. La temperatura está entre los 17 y 24 grados.

Piso frío: es el clima característico de las regiones comprendidas entre los 2.000 y los 3.000 metros sobre el nivel del mar. Su temperatura oscila entre los 12 y los 17 grados. Cerca del 8 por ciento de nuestro territorio es frío.

Piso de páramo: corresponde a las tierras situadas entre los 3.000 y los 4.000 metros de altitud. Su temperatura es menor a 12 grados. El 2 por ciento del territorio colombiano se encuentra en este piso.

Piso de nieves perpetuas: se halla por encima de los 4.000 metros de altura.

Me quedé boquiabierto. El dibujo de mi abuelo desbarató en un instante mi novedosa teoría sobre el frío y el calor. Ahora todo se reducía a tener más o menos cobijas de capas atmosféricas encima.

Pronto olvidamos el gráfico y nos dedicamos a la pesca. Papá Sesé se puso sus bermudas, unas alpargatas y su sombrero de paja. Encendió un tabaco y se echó la atarraya al hombro. Ésta es la imagen más viva que guardo de mi abuelo.

Durante el viaje de regreso, él llevó todo el tiempo el termómetro en la mano. Cuando arrancamos marcaba 24 grados. Comenzaba a atardecer y ya el Sol no calentaba tanto. A medida que subíamos la temperatura iba bajando.

—Por cada 184 metros que subamos, la temperatura baja un grado —me dijo al oído el viejo, como si se tratara de un gran secreto.

No volvimos a hablar del tema. Años más tarde, estuve pensando de nuevo en los climas. ¿Por qué sitios que están a la misma altura tienen climas tan diferentes? ¿Por qué en la costa del Chocó llueve casi todo el año, mientras en la costa de La Guajira llueve tan poco?

Esculqué el baúl de mi abuelo, tratando de hallar alguna explicación. Al fin encontré una libreta que estaba marcada con un rótulo en el que se leía: *No solo por las montañas Colombia tiene muchos climas.*

# No solo por las montañas Colombia tiene muchos climas

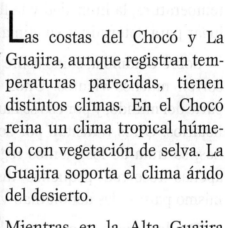

Las costas del Chocó y La Guajira, aunque registran temperaturas parecidas, tienen distintos climas. En el Chocó reina un clima tropical húmedo con vegetación de selva. La Guajira soporta el clima árido del desierto.

Mientras en la Alta Guajira llueve a lo sumo 60 días al año, en el Chocó ocurre lo contrario: solo para de llover, por mucho, 60 días. En el Chocó, la vegetación no deja espacios libres. En La Guajira solo se ven arbustos pequeños y plantas llenas de espinas. Una de ellas es el cactus. Para no morir

57

de sed, dispone
de profundas
raíces con las
que chupa el agua
subterránea.

Hay que relacio-
nar los vientos, la
temperatura, la humedad y la lluvia de un
lugar para determinar su clima.

Sobre Colombia, como sobre todos los países, corren muchos vientos. Unos viajan por gran parte del mundo, y por eso se llaman vientos planetarios. Otros transitan por zonas más pequeñas; se trata de los vientos regionales. Y otros apenas recorren pequeñas distancias en un mismo país; se les denominan vientos locales.

De los vientos que nos llegan, los más importantes son los alisios. Unos vienen del norte y otros del sur. Son vientos planetarios. Como todos los vientos, los alisios se comportan como esponjas. Van chupando por el camino toda la humedad que encuentran: la de la tierra, la de la plantas, la del mar... Llegan a convertirse en una caravana de nubes. Cuando se estrellan con un obstáculo que les cierra el camino, se desploman en forma de lluvia.

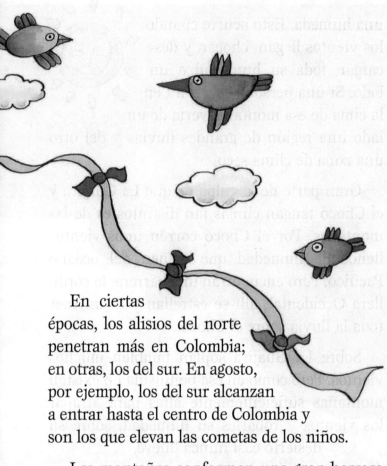

En ciertas
épocas, los alisios del norte
penetran más en Colombia;
en otras, los del sur. En agosto,
por ejemplo, los del sur alcanzan
a entrar hasta el centro de Colombia y
son los que elevan las cometas de los niños.

Las montañas conforman una gran barrera para los vientos. Les impiden andar a sus anchas. A veces los obligan a cambiar de rumbo; y cuando las montañas forman corredores, los vientos viajan por allí encañonados.

En algunas ocasiones, una misma montaña se convierte en el límite entre una zona seca y una húmeda. Esto ocurre cuando los vientos llegan, chocan y descargan toda su humedad a un lado. Si una persona se parara en la cima de esa montaña, vería de un lado una región de grandes lluvias y del otro una zona de clima seco.

Gran parte de la culpa de que La Guajira y el Chocó tengan climas tan distintos es de las montañas. Por el Chocó corren unos vientos llenos de humedad que vienen del océano Pacífico. Pero encuentran una barrera: la cordillera Occidental; allí se estrellan y dejan caer toda la lluvia sobre el Chocó.

Sobre La Guajira soplan también muchos vientos. Pero como en esa península no existen montañas suficientemente altas para atrapar los vientos y robarles su humedad, sobre su desierto casi nunca llueve.

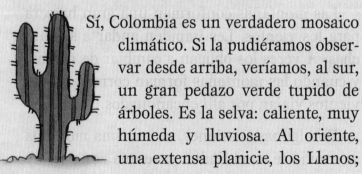

Sí, Colombia es un verdadero mosaico climático. Si la pudiéramos observar desde arriba, veríamos, al sur, un gran pedazo verde tupido de árboles. Es la selva: caliente, muy húmeda y lluviosa. Al oriente, una extensa planicie, los Llanos;

también muy calientes pero con épocas bien marcadas de lluvia y de sequía. Al occidente contemplaríamos las montañas. Y en ellas todo un enjambre de diferentes paisajes: en los picos más altos, la nieve; más abajo, los frailejones de los páramos; luego los bosques de climas fríos que se visten con una vegetación distinta y variada en la medida en que se baja por la montaña. La zona del Pacífico parecería otra mancha verde de selva. Y al norte habría una sombra amarilla, la sombra del árido desierto de la Alta Guajira.

Somos un país de muchos climas y variada vegetación. Nos contamos entre las pocas naciones que tienen la altura y la humedad necesarias para que crezcan los frailejones. ¡Los colombianos somos dueños de la mayoría de los páramos que existen en el mundo: un millón 500 mil hectáreas¡El 60 % de los páramos del mundo.

Las notas de Papá Sesé seguían. Se referían ahora a los páramos.

# El páramo, un lugar sagrado en lo alto de las montañas

Los páramos son sitios misteriosos, en lo alto de las montañas, entre el fin del bosque andino y el comienzo de las nieves perpetuas. Permanecen, casi siempre, envueltos en la niebla. En ellos crece una planta que usa ropa para protegerse del frío. Se llama frailejón. Esta curiosa planta puede vivir mucho tiempo. ¡Algunas llegan a cumplir años durante siglos! Son "joyas" del mundo vegetal y crecen solo un centímetro al año.

"Los páramos son la cuna de la vida", dice un líder indígena de Sesquilé. Lo dice porque son las grandes fábricas de agua del país. En ellos, y en los bosques de la cordillera, nace la mayoría de ríos del país.

El piso de páramo es de musgo. Este, a manera de esponja, recoge el agua de la lluvia, de la neblina y de la escarcha. La chupa y guarda parte durante el invierno, y en el verano la distribuye entre los ríos y riachuelos.

En las regiones de vida paramuna existen muchas lagunas sagradas. En la laguna de Iguaque, cerca de Villa de Leyva, apareció Bachué. Ella fue la madre de la humanidad, según una leyenda de los muiscas.

Para los indígenas arhuacos, que viven en la Sierra Nevada de Santa Marta, para los paeces y guambianos del Cauca, las lagunas de los páramos también son sagradas. Allí, dicen ellos, descansan los espíritus de los hombres que no le hicieron daño a los demás, ni a los árboles, ni a los pájaros, ni a las plantas.

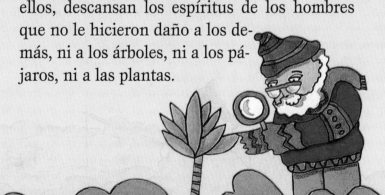

Desde allí, desde lo alto de las montañas, vigilan a los demás mortales.

Todos los colombianos deberíamos, como los indígenas, cuidar y proteger los páramos como sitios sagrados. A esta conclusión llegué luego de admirar su belleza, de valorar su utilidad y de leer a un geógrafo muy importante que estudió mucho sobre estos lugares, Ernesto Guhl.

Amo el páramo. Me gusta visitar el Parque Nacional Natural de Sumapaz. ¡Tiene la extensión de vida paramuna más grande del mundo! Son más de 170 mil hectáreas de parque: un retazo en el Distrito Especial de Bogotá, otro en el Meta, otro en Cundinamarca y otro en el Huila. Y tengo un compromiso pendiente: conocer el páramo de Ocetá que, dicen los entendidos, es el más bello del mundo. Está en Monguí, Boyacá.

Los apuntes de Papá Sesé me dejaron pensativo. No me imaginaba que los páramos fueran tan importantes... No sabía que la tierra de los frailejones fuera vital para nuestros ríos.

Cómo sufriría el viejo al saber cómo los hemos descuidado, cómo los estamos acabando, con la deforestación, la ganadería y la minería. Lo leí hace poco navegando por la red.

"Cuidar nuestros páramos equivale a garantizar que las próximas generaciones de colombianos no se mueran de sed", lei también.

Continúe leyendo la libreta del abuelo. Seguía un capítulo sobre ríos.

# En Colombia corren muchos ríos: algunos son negros, otros son blancos

Somos un país rico en agua. Hay paises como Libia, que no posee ni un solo río permanente.

Pero no todos los ríos son iguales. En los Llanos y en la selva, por ejemplo, unos son blancos y otros son negros.

Los blancos nacen en las cordilleras. En su viaje recogen sedimentos como gredas, arenas y la tierra fértil de las montañas. Los peces los prefieren porque en sus aguas encuentran suficiente comida; el hombre también: en sus orillas los suelos son más productivos.

Los ríos negros nacen en las planicies del Llano y de la selva. Corren generalmente sobre un lecho de arenas oscuras. Por eso sus aguas se ven negras, aunque de cerca resulten cristalinas. Los peces grandes no viven allí. En su lugar, hay miles de peces diminutos de vivos colores. Son los peces ornamentales que se exhiben en los acuarios.

Hace años se distinguían los ríos blancos de los negros no solo por el color de sus aguas, sino porque en las playas de los blancos dormían cientos de caimanes y zumbaban batallones de mosquitos. Hoy en Colombia casi no hay caimanes.

Navegar por un río negro es como volar en el agua. Como sus aguas parecen un espejo, reflejan toda la vegetación. ¡Uno no sabe dónde empieza "el reflejo"!

Al llegar a este punto interrumpí la lectura de las notas de Papá Sesé. Me moría de curiosidad por saber qué ríos eran blancos y cuáles negros. Busqué un mapa en el baúl y elaboré una pequeña lista.

Ríos blancos: Amazonas, Orinoco, Caquetá, Meta, Putumayo, Arauca, Guaviare...

Ríos negros: Vaupés, Guainía, Vichada, Inírida, Tomo y el Negro, por supuesto.

Retomé la libreta de mi abuelo. Así continuaban sus notas.

Para muchos colombianos no existen más caminos que los ríos. Me gusta pensar que todas las mañanas, en los puertos fluviales, hay tanto movimiento como en un aeropuerto o en cualquier otro terminal de transporte.

Como en los aviones y en los buses, existen varias opciones para el viajero del río. Las voladoras, las embarcaciones más veloces, resultan también las de pasajes más costosos. Son lanchas metálicas o de fibra plástica impulsadas por motores fuera de borda. Lo más barato es viajar en falca. Son pintorescas barcas de madera, con techo de paja para proteger a los pasajeros del sol y de la lluvia. Aunque lentas, pueden transportar hasta 40 personas.

Colombia vivió su niñez y su adolescencia alrededor del río Magdalena, que atraviesa casi todo el país de sur a norte. Por años fue llamado el río de la Patria. Por allí entraba y salía todo el comercio, e iban y venían pasajeros en buques de vapor empujados por inmensas ruedas de madera.

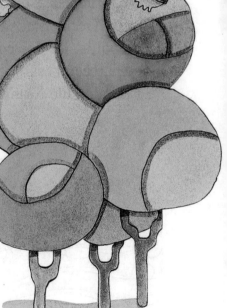

Fue la columna vertebral de un país desarticulado por falta de vías de comunicación. El sueño de los hombres de Cúcuta, Bogotá, Bucaramanga, Medellín, Manizales o Cali, fue por años construir carreteras, o vías férreas, para llegar al Magdalena y así unirse al resto de Colombia. ¡el Magdalena sirve de límite a 10 de los 32 departamentos! En su cuenca vive el 80 por ciento de la población del país, mide 1.540 kilómetros.

Hoy navegan por sus aguas planchones que llevan carga y lanchas que transportan pasajeros de un pueblo a otro: de Mompós a Magangué, de allí a el Banco o Plato, de Plato a Tamalamaque y de allí a Gamarra; de Gamarra a Barrancabermeja o hasta Puerto Triunfo.

El otro gran río, el Cauca, viaja paralelo al Magdalena y recorre 1.350 kilómetros. Es un río caprichoso. Corre entre las cordilleras Central y Occidental. A su paso por Caldas y Antioquia, las dos cordilleras se acercan tanto que parecen besarse. El Cauca, entonces, avanza encajonado formando caídas y raudales.

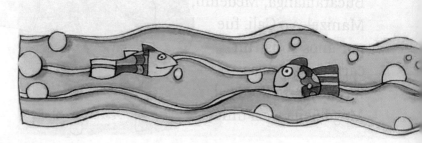

Por años, y por culpa del Cauca, Antioquia estuvo dividida en dos: oriente y occidente. José María Villa, ingeniero y violinista, las unió con puentes a finales del siglo XIX. El más bello es el Puente del Occidente. ¡Una inmensa hamaca tejida en alambre y madera de 300 metros de larga! Conecta a Sopetrán con Santa Fe de Antioquia. Aún existe y es monumento nacional.

El Atrato es el río por el que siempre he soñado viajar. Corre por el medio del departamento del Chocó y desemboca en el golfo de Urabá. Barcos de madera van y vienen permanentemente de Quibdó, que es la capital del Chocó, a Cartagena. ¡El viaje dura días!. Pero si al llegar al mar sopla muy fuerte la brisa, la travesía se alarga, pues se debe arrimar a una playa y esperar que amainen los vientos.

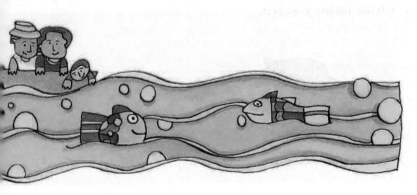

En el Pacífico desembocan más de 240 ríos, la mayoría muy cortos. El San Juan, el más caudaloso de ellos, es rico en oro y platino. Nace cerca de donde nace el Atrato. Al retazo de tierra que separa a los dos ríos, algunos lo llaman *el arrastradero*. Arrastran las canoas de un río a otro y forman un canal que une el Atlántico y el Pacífico.

Conozco los ríos que entregan sus aguas al Amazonas y al Orinoco como la palma de mi mano. Los cruzan cientos de embarcaciones pequeñas, pero por ellos navegan también unas embarcaciones grandes muy especiales. Son las tiendas ambulantes de los mercaderes. Corriente arriba venden arroz, sal, gasolina, cerveza y cachivaches. Corriente abajo, compran madera, plátano, pescado y demás productos que les ofrecen los habitantes de las orillas. Uno que me gusta mucho es el Guaviare; es el límite entre llano y selva.

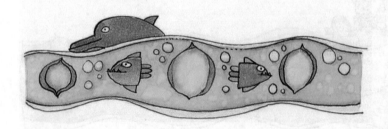

¡Qué lástima que del Amazonas, un río tan ancho que en algunos sitios puede medir hasta 13 kilómetros, Colombia no posea sino 116 kilómetros! En total, el Amazonas mide 6.500 kilómetros de largo.

Así terminaban las notas sobre los ríos de Papá Sesé. Luego, escribió algo con letra más grande. Era como una especie de recuadro y decía así:

*Muchos ríos de Colombia están enfermos, algunos de gravedad. Padecen un mal contagioso: la contaminación. Los hombres han confundido los ríos con basureros; por eso arrojan desperdicios en ellos.*

*También sufren de otra enfermedad: la anemia. Cada día parecen más flacos y débiles. De seguir así, terminarán siendo simples hilitos de agua. Solo los árboles los pueden salvar, pues son los encargados de recoger el agua para alimentarlos. ¡Pero los hombres tumban y tumban bosques sin piedad!*

*Si en Colombia continúan derribando los bosques, mis biznietos no conocerán ni un río, ni una quebrada, ni una laguna...Etiopía, hace apenas 70 años, era un gran bosque; hoy es un inmenso*

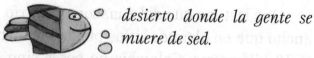

*desierto donde la gente se muere de sed.*

*Por esto me encanta ver a los niños de Quizgó, un resguardo indígena encaramado en las montañas del Cauca. Cuando salen de la escuela corren a buscar "ojitos de agua"; así llaman a los nacimientos de agua. Para que estos "crezcan" y formen quebradas y ríos, siembran alrededor muchas plantas, entre ellas una llamada "alegría". Estos pequeños saben también "sembrar agua", donde no hay: hacen un hueco y lo rellenan con agua de río; luego lo rodean de alegrías.*

En sus últimos años, este pensamiento atormentó mucho a mi abuelo. Sufría cuando escuchaba hablar de los bosques que se están perdiendo por la explotación maderera incontrolada, la ganadería, los cultivos de coca y amapola... Un día, leyendo un artículo, lo vi llorar. Se refería a los productos químicos que muchos vierten en los ríos. ¡Causan tanto daño! "Hay que poner fin a esta locura", me dijo, y me dio un beso en la frente. Supe que quería estar solo y me fui a dormir.

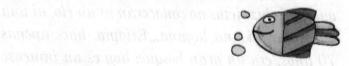

# Cómo llegaron a Colombia el roble, el pájaro carpintero y miles de animales más

En el barrio teníamos nuestro grupo de amigos. Éramos cinco, inseparables. Montábamos en cicla, jugábamos con bolas de cristal, organizábamos partidos de fútbol. Pedro era el mayor de todos. Nunca olvidaré que una tarde llegó más feliz que de costumbre.

—Les tengo una sorpresa —dijo, y sacó de su bolsillo una cauchera. Los demás nos miramos con asombro; no sabíamos para qué podía servir eso que nos mostraba Pedro.

—Hoy vamos de cacería, ¡vamos a cazar pájaros! —gritó. Fue casi una orden, pero aceptamos felices. La casa quedaba cerca de un bosque en donde solíamos jugar. Como se trataba de buscar pájaros, nos internamos en él.

Pedro era todo un experto. Colocaba una piedra al extremo de la cauchera y ¡zas! Rápidamente nos enseñó a todos los secretos para utilizar su arma. ¡Nos estábamos divirtiendo tanto! Ya habíamos acordado un premio para el primero que lograra derribar un pájaro o un nido. ¡Había tal cantidad en el bosque que parecía una apuesta fácil de ganar!

Por fin me llegó el turno de usar la cauchera. Coloqué una piedra en la badana. Estiré el caucho y apunté hacia un pájaro picaflor. Ya iba a disparar cuando escuché un grito. ¡Era la voz de mi abuelo! Allí estaba él entre los árboles.

Su cara tenía la expresión más extraña de todas las que le conocía. No supe en ese momento si era de dolor o de rabia.

—¡Ven acá! —gritó secamente—. Y ustedes también —dijo, dirigiéndose a mis amigos—. ¿Por qué matan los pájaros?

Ninguno se atrevió a contestar. Hubo un largo silencio. Luego, mi abuelo se rascó la cabeza y finalmente exclamó:

—Bueno, dejen eso. Caminen, los invito a casa.

Nos fuimos tras él hasta su cuarto. Parecíamos regañados. Mi abuelo señaló los cojines y todos nos sentamos.

—Escuchen bien la historia que les voy a contar. Empezó a hablar, y a medida que avanzaba su relato, su cara dejó de ser rígida y triste. De nuevo apareció su expresión de abuelo sabio y bonachón. Nadie lo interrumpió.

—Hace muchos, pero muchos años, queridos niños, América del Norte y América del Sur eran dos islas separadas por el mar. Luego, cinco millones de años atrás, según dicen los científicos que han estudiado la evolución del mundo, se formó el istmo de Panamá, un puente que unió las dos Américas.

—Antes de que esto ocurriera, cuando aún existían aquellas islas, en América del Norte vivían muchos mamíferos. Los animales que poblaban América del Sur eran marsupiales, que son también mamíferos, pero menos desarrollados. Los canguros son unos de los pocos marsupiales que aún existen. Sus hembras tienen una bolsa donde cargan sus crías.

Allí las llevan hasta que ellas pueden andar solas. Pues bien, cuando apareció América Central, y se unieron las dos grandes islas, los mamíferos del norte empezaron a viajar hacia el sur, y los marsupiales del sur encontraron un camino para subir al norte.

—Nuestro país fue un punto especial, en ese ir y venir de los animales. Los que venían del norte, al pasar por lo que hoy es Colombia y encontrar tantos climas, se fueron quedando.

—Aquellos que disfrutaban del frío, se acomodaron en lo alto de las montañas. Los que amaban el calor, construyeron su casa en las partes bajas. Los que se sentían bien con calor y humedad, se internaron en las selvas y los manglares. Esto mismo ocurrió con los animales que venían del sur. Colombia fue la puerta de entrada para los animales que venían del norte, y la puerta de salida para los que venían del sur.

—A través de las cordilleras, estos montes que cruzan toda América, viajaron los animales sin ningún tropiezo. Pero no viajaron solos. También fueron y vinieron las plantas.

—El viejo roble, por ejemplo, que vivía en los bosques fríos y templados de los Estados Unidos, emprendió un día una larga caminata. Tal vez avanzó con la ayuda de la ardilla y del pájaro carpintero. Estos dos animales regaron, siempre más allá, las semillas del árbol. La ardilla, pequeña y saltarina, se alimenta de los frutos del roble.

—El pájaro carpintero taladra con su pico el tronco, formando agujeros que utiliza de alacena. Allí amontona las semillas, de las que también se alimenta.

—Miles y miles de años duró el viaje de este trío. Por fin llegaron a Colombia y se instalaron en sus montañas. Hace un siglo nuestras cordilleras, a partir de los 2 000 metros, estaban llenas de bosques de robles.

—De esta misma manera llegaron e instalaron su casa en Colombia muchos animales y muchas plantas. Somos *megadiversos*.

—Nuestro país es uno de los más ricos, en el mundo, en flora y fauna. Solo un ejemplo: ¡tenemos la mayor variedad de aves, mariposas y ranas!.

—Les voy a contar unas curiosidades: en Colombia existe el *venado más pequeño del mundo*. Habita en el páramo del Puracé. Es tan pequeño como un conejo, y lo llaman el venado conejo. Cuando nace es tan chiquitico, que se podría parar en la palma de una mano.

—En Colombia también viven el *chigüiro*, que es *el roedor más grande del mundo*, y *el sapo bamboré*, que también es el sapo más grande de la Tierra. El bamboré puede llegar a medir hasta 40 centímetros de largo. Se encuentra aquí, igualmente, *la serpiente más larga, la anaconda*. ¡Alcanza hasta doce metros de longitud! Tenemos además *la palmera más enana y la más gigante*. Esta última, *la palma de cera del Quindío*, es nuestro árbol nacional. Crece hasta 60 metros. Además se trata de la única palmera que se da en lo alto de las montañas. La palmera más pequeña vive en el Chocó; con todo y penacho, es apenas tan alta como un niño de un año.

—Como ven, en la repartición de las riquezas naturales tuvimos suerte. Sin embargo, hemos dilapidado esa fortuna. El cinturón de robles se acabó. Lo talaron sin que nadie se preocupara por regar nuevas semillas. Con el roble han desaparecido también muchas ardillas y muchos pájaros carpinteros.

—Los caimanes, que tomaban el sol en las playas de muchos ríos, poco a poco han ido disminuyendo. Los cazadores se dedicaron a matarlos con sus escopetas. Sus pieles han sido un gran negocio. Igual persecución sufren las nutrias, el oso de anteojos, el pato pico de oro, el mico tití, la guacamaya verde, el perro de agua, la ballena jorobada, el loro orejiamarillo, la tortuga carey y tantas otras especies en peligro de extinguirse.

De nuevo, el rostro de mi abuelo adquirió una expresión de rabia y de tristeza, igual a la que tenía cuando nos sorprendió con la cauchera en la mano.

—Ahora alguna gente mata a los animales y acaba con la naturaleza pensando únicamente en enriquecerse, o por el solo placer de destruir —dijo como si hablara para él y no para nosotros.

Luego nos miró a los ojos, y agregó:

—Yo no quiero a ese tipo de personas. Yo no la voy sino con los hombres que conservan el espíritu de los antiguos pigmeos de África. Hace muchos años, cuando estos pequeños habitantes de la selva tenían que sacrificar por necesidad a un elefante, para tener algo que comer, le pedían perdón. Luego de matarlo, rodeaban el cadáver y cantaban con vergüenza y tristeza esta canción:

> *"Hemos errado la puntería,*
> *¡Oh! padre elefante.*
> *No queríamos matarte.*
> *Ni queríamos causarte daño,*
> *¡Oh! padre elefante".*

Desde entonces nunca he olvidado la bella canción de los pigmeos de África.

# Cómo y por qué en Colombia se cruzaron tantas razas

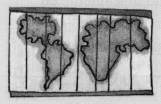

—Abuelo, ¿cómo llegaron los hombres a Colombia? —le pregunté una noche al viejo. Me arrunché bien en un cojín y escuché esta historia:

—Pequeño, los científicos encargados de escudriñar en el pasado de los hombres, no se han puesto de acuerdo sobre cuándo y cómo llegó el hombre a América.

—Unos dicen que por el estrecho de Bering pasó gente de Asia a América del Norte. Otros aseguran que los polinesios, que eran grandes navegantes, pues sabían manejar los vientos, fueron los primeros en arribar al continente.

—En Colombia, los investigadores han llegado a una conclusión asombrosa luego de estudiar con paciencia piezas arqueológicas: hace más de 14 mil años Colombia estaba poblada por tribus de cazadores recolectores. Estos pueblos fueron evolucionando y unos mil años antes de esta Era en San Agustín, al sur de Huila, surgieron las primeras sociedades jerarquizadas. En el parque arqueológico, se conservan las inmensas y misteriosas estatuas talladas en piedra y las tumbas donde enterraban a sus muertos. Este pueblo desapareció antes de la llegada de los españoles.

—Pues bien, lo cierto es que cuando los conquistadores desembarcaron encontraron una enorme diversidad de sociedades, con costumbres y rasgos físicos diferentes.

—En el centro del país vivían los *muiscas*. Explotaban la sal y las esmeraldas; trabajaban el oro. Adoraban al Sol, la Luna y el Arco iris.

—En lo que hoy son Quindío y Risaralda, habitaban los *quimbayas*. Ellos tenían la costumbre de vestirse en oro cuando marchaban a la guerra.

—Al norte, los españoles encontraron a los *motilones*. Les temían porque eran aguerridos y envenenaban sus flechas para matar a sus enemigos.

—Los tayronas poblaban la Sierra Nevada de Santa Marta. Algunos los llaman los ingenieros precolombinos.

—Los *pijaos*, los *caribes*, los *pances*, los *zenúes* y muchos grupos más...vivían también en Colombia... Unos usaban la pintura del cuerpo como único vestido; otros se cubrían con hermosas mantas de lana.

—Y como había tanto oro y plata, en el Nuevo Mundo, la Corona española decidió traer esclavos negros para ayudar a explotar tamaña riqueza. En las bodegas de los galeones trajeron de África a hombres negros, encadenados por el cuello y con grillos en los pies. Los negros, altos y fornidos, eran los únicos capaces de resistir el calor del trópico y los arduos trabajos de las minas.

—Venían de muchos lugares: Senegal, Guinea, Gambia, Angola...Trajeron su música de tambores, su fuerza, su magia.

—Los colores de estas tres razas — indígena, blanca y negra— se mezclaron y hoy Colombia es mayoritariamente mestiza. Esa fusión de culturas la hace inmensamente rica. Según cifras oficiales, los afrocolombianos son el 10 % del total de la población estimada para el 2012 en 46 millones y medio de personas. Las comunidades aseguran que el porcentaje es mayor: 18 % .

—Los indígenas, con la conquista, poco a poco se fueron extinguiendo. Unos no soportaron los trabajos rudos de las minas. Otros

fueron arrasados en las batallas contra los españoles y otros muchos, al ver sus tierras invadidas, murieron derrotados por la tristeza.

—Fueron dueños de muchas tierras. Hoy, en sus resguardos, tratan de salvar su cultura, sus costumbres. Son el 3,4% de la población colombiana y hablan 65 lenguas distintas.

—Hay muchos grupos: los *cunas*, los *uitotos*, los *curripacos*, los *paeces*, los *tucanos*, los *ticunas*, los *wayuús*, los *guambianos*...

—¿Sabes? Yo fui amigo de un cacique puinave. Él vivía en el río Guaviare, en un caserío que se llama Barrancominas. Tenía 38 años de edad y era cacique de 40 pueblos. Él me contó muchas historias fantásticas.

—Decía, por ejemplo, que todos los de su tribu pueden convertirse en tigres. "Uno siente cuando la forma del humano va bajando y va subiendo la forma de tigre", me decía. Eso sí, mantenía como un secreto la sabiduría que su padre le había transmitido cuando él solo tenía 14 años.

—En la escuela, además del español, los niños indígenas aprenden su lengua nativa y, a través de ella, creencias, tradiciones y valores heredados de los antiguos.

—Los emberas hablan de Akore, su Dios. El profesor guambiano enseña que *u* es flor; *isiki,* viento; *pel,* luna. El ticuna utiliza muchas tildes: en esta lengua, aprenden los pequeños de muchas aldeas de la Amazonia, que *Yoy* fue quien hizo a la gente.

—Los niños wayuús son hijos de la lluvia. Cuando *Juya*, la lluvia, cae del cielo, la recogen en ollas. Es el agua para calmar la sed en los días de la larga sequía en el desierto. Con la primera tierra mojada,

los pequeños moldean sus muñecos: personas, burros, ollas. Los secan al lado del fogón y juegan con ellos todo el año. Ellos hablan wayuunaikí, un idioma con más vocales y menos consonantes que el español. Los wayuús conocen que *Juya*, la lluvia, encontró a *Mma*, la tierra, la fecundó y así nacieron los primeros hijos de la tierra.

—Los niños arhuacos son hijos de la madre tierra, la dueña de todo. Para ellos, que viven en la Sierra Nevada de Santa Marta, la montaña más alta a orillas del mar del mundo entero, jugar con barro significa ofender a la madre. Por eso no lo hacen.

—Los guambianos son hijos de los duendes y de las raíces de los árboles. Viven en Cauca en unas montañas que parecen forradas en terciopelo verde. Les gusta corretear impulsando llantas viejas con un palo y treparse en zancos para jugar a ser gigantes. Los zancos también les sirven para espantar a los duendes, unas personas chiquiticas, con pies y manos al revés, que llevan siempre sombreros gigantes.

—Los niños de piel negra en las dos costas, Atlántica y Pacífica, ven en la escuela una materia que se llama afroamérica. Allí hablan de Benkos Biojó. Este esclavo lideró en 1599 una rebelión y fundó cerca de Cartagena, el Palenque de San Basilio, el más famoso pueblo de negros rebeldes o cimarrones. Años después lo detuvieron, le dieron muerte en la horca...

En San Basilio se conservan la música y el Lumbalú, ritual africano, melodía de tambor y voz, que se canta en los velorios.

—Los niños en su lengua palenquera— mezcla de dialectos africanos, español y portugues— cantan: "Mano americano ma discriminación e ma racismo e justo un humano". (Hermano americano la discriminación y el racismo son injustos e inhumanos).

"La niña mariquita/no puede comer", cantan los pequeños de piel negra de la costa Pacífica en las rondas mientras mueven, en vaivén, las caderas. Les encanta cantar y bailar; de todo hacen versos. A la hora del recreo, o en cualquier rato libre, tallan pequeñas canoas. Una piedra, un destornillador, un palo les sirve de herramienta. Luego les amarran una cuerda, como hacen los niños de la ciudad con sus carros de juguete, y los arrastran por el río...

# Una región  llena de magia

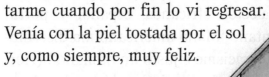

En una oportunidad, estando yo muy pequeño, Papá Sesé se demoró en uno de sus viajes más de un mes. Empezaba ya a inquietarme cuando por fin lo vi regresar. Venía con la piel tostada por el sol y, como siempre, muy feliz.

—¿Cómo te fue? —le pregunté.

—Muy bien —me respondió, tomándome en sus brazos—. Estuve en el Pacífico. Es un lugar mágico y fantástico.

Al día siguiente, mi abuelo me esperó en la puerta de la escuela. Aunque no me dijo nada, cuando emprendimos el camino de regreso a casa supe que me aguardaba una grata sorpresa. Nos detuvimos en el parque y nos sentamos en una banca.

—Te voy a contar mi paseo por el Pacífico —me dijo. Yo me acurruqué a su lado y me dispuse a escuchar.

—Empecemos al derecho —afirmó, tratando de darle un orden a su historia.

—Mi viaje empezó realmente en Juradó. Tomé un avión de Bogotá a Medellín. De allí otro a Bahía Solano y desde aquel lugar me embarqué a Juradó. Este es un municipio del Chocó muy cercano a la frontera con Panamá.

Mi abuelo extrajo del bolsillo del saco un papel arrugado. Lo alisó rápidamente con una mano y pintó sobre él un croquis de Colombia. Siempre admiré su facilidad para dibujar nuestro país.

Luego marcó una cruz cerca de la frontera con Panamá y continuó su charla.

—Este es Juradó, un pueblo de largas calles de arena gris donde se intercalan las palmas y las casas. Las casas son pequeñas y siempre están hechas de madera y montadas sobre estacas. Parece un pueblo trepado en zancos. Las construyen así para protegerlas de los maremotos y de las inundaciones.

—Los maremotos son terremotos que sacuden el fondo del mar y forman olas gigantes. Ellos han destruido muchos caseríos del Pacífico.

—Hay algo muy bello en Juradó. Sus pobladores plantan los jardines en canoas viejas, las que por estar tan gastadas y débiles ya no son capaces de hacerle frente al mar. Colocan las canoas sobre estacas, frente a las casas, y las llenan de plantas y flores.

Papá Sesé dobló el papel y pintó varias casas con zancos. Después dibujó frente a una de ellas una canoa repleta de flores.

—Un grupo de negros esclavos que huían de sus amos fundó el pueblo. La mayoría de los que viven hoy en Juradó descienden de esos esclavos.

—Muchos se dedican a la pesca. En pequeñas barcas batallan con el mar para atrapar róbalos y pargos. Tienen un enemigo grande. Los barcos piratas, a los que nadie controla. Vienen de otros países y se roban los peces.

—También hay indígenas allí. Los llaman cholos. Viven a orillas del río y cultivan plátano. Los colonos completan el resto de la población. Son hombres de todo el país. Buscan, sobre todo, un pedazo de tierra para cultivarlo.

—Juradó es un pueblo extraño. Para entrar o salir de él por agua, hay que arriesgar la vida.

Mi abuelo debió notar mi cara de asombro, porque antes de que yo alcanzara a decir algo, él ya había plegado de nuevo el papel. Pintó entonces un río desembocando en el mar; al lado del río, un pueblo. Y justo en el sitio de la desembocadura, dos inmensas rocas.

—Al llegar por el mar y entrando por esta bocana —explicó señalando el espacio entre las dos gigantescas piedras—, como el océano está casi siempre muy bravo, y golpea muy fuerte, si se sale o se entra desprevenidamente, las olas pueden lanzar las frágiles canoas contra las rocas, destrozándolas. Solo durante contados minutos al día las aguas ofrecen la calma necesaria para que se pueda entrar o salir sin peligro.

—Por fortuna no tuvimos problemas al cruzar esa bocana. El boga era un verdadero lobo de mar. Al regresar, como llovía y el océano estaba enojado, decidimos descansar a la mitad del camino, en una playa. Esto ocurre muchas veces cuando se viaja por el Pacífico.

—Eran las seis de la tarde. La playa donde nos detuvimos era inmensa. Tal vez la más grande que haya visto en mi vida. Recuerdo que el camino por la arena, hasta llegar a un rancho, se me hizo interminable. Allí nos ofrecieron café y, luego de un rato, nos acostamos a dormir.

—A las cuatro de la mañana, Juan (así se llamaba el boga) gritó:

—¡Nos vamos! ¡Rápido! ¡Está subiendo la marea y si no salimos ahora nos quedamos atrapados aquí!

—Me levanté. Bajo la luz de la luna me di cuenta de algo insólito: ¡La inmensa playa ya no existía! Ahora el mar casi golpeaba el rancho. ¡En cambio, por la noche, estaba tan lejano!

Mi abuelo hizo un nuevo doblez en la hoja, dibujó algo así como una playa, olas y flechas en dos sentidos. ¡No entendí nada!

—Te voy a explicar qué pasó en esa playa. El Pacífico es el océano más grande del mundo. Como todos los océanos y mares, tiene muchos movimientos; uno de ellos, las mareas.

—Las *mareas* son movimientos por los que las aguas suben y bajan atraídas por el Sol y la Luna. Cuando las olas invaden las playas, se habla de marea alta o pleamar; y cuando se retiran, de marea baja o bajamar.

—En el Atlántico este fenómeno ocurre dos veces al día. En el Pacífico una sola vez. En el Atlántico casi no se nota. En el Pacífico cubre y descubre grandes playas ¿ves?

—Bueno, continuemos con la historia del viaje. Nos acomodamos de nuevo en la canoa. Me senté al lado de Taltún, un enano negro con el que antes escasamente había cruzado palabra.

—Estoy seguro de que él notó mi asombro de forastero cuando al despertarme vi el mar tan cerca. Por eso, apenas iniciamos el viaje, me dijo:

"Yo antes me preguntaba, ¿dónde se esconderá toda el agua del mar que se va por horas dejando las playas vacías?"

"Siempre quise saber a qué parte del mundo iba a parar esa agua. Me confundía aún más al ver que el mar regresaba y casi golpeaba mi casa con las olas. Cuando yo era niño, llegué a pensar que en el fondo del océano había un sifón muy, pero muy grande, que se abría y se cerraba a determinadas horas del día..."

—Taltún sonrió y agregó: ¡Qué lindo ser niño para soñar cosas así!

—Desde entonces me hice amigo de Taltún. Él viajaba también hacia el sur y decidimos continuar nuestro camino juntos. Con él aprendí a querer toda la magia y la fantasía de los hombres del Pacífico.

Mi abuelo volvió a tomar el papel. Lo desdobló y buscó el croquis de Colombia. Luego, trazó una raya paralela a la costa Pacífica. Le puso un nombre: cordillera Occidental. Quedó así señalada una angosta franja desde Panamá hasta Ecuador.

—Esta franja es la zona del Pacífico, una región muy húmeda, cubierta casi toda de selva. Pertenecen a ella el Chocó y la parte occidental de los departamentos de Valle, Cauca y Nariño.

—Esta región está llena de pueblos como Juradó. Tienen casas de madera, jardines en canoas, hombres negros, indígenas y colonos que trabajan solos o como jornaleros en cultivos y aserríos. Algunos de estos pueblos no tienen agua, ni luz, ni puestos de salud. Muchos niños mueren antes de los cinco años.

Mi abuelo tomó de nuevo el mapa. Escribió unos nombres: Quibdó, Tumaco y Buenaventura.

—Buenaventura es el puerto de mayor actividad. ¡Arriban y zarpan barcos de carga del mundo entero!. Tumaco permanece como un puerto de vocación pesquera y maderera.

En la frontera con Panamá, Papá Sesé pintó unas montañas y les puso un nombre: *serranía del Darién*. Luego, bien al norte y paralelas a la costa, añadió otras montañas: la *serranía del Baudó*. A su lado marcó un punto: "Es Bahía Solano", me dijo. Aunque no me gustaba interrumpir a mi abuelo le pregunté cómo era Bahía Solano.

—Bahía Solano es un pueblo atrapado entre el mar y la montaña de selva. Sus habitantes son muy ingeniosos. Durante años llamaron a su aeropuerto "Sal si puedes" pues nunca se sabía cuando podía aterrizar o despegar un avión. Estuve seis días allí.

—Todas las noches salía de pesca. Para serte franco, no tuve mayor suerte. Pero no importa. Luego, Taltún y yo nos embarcamos hacia el sur. Pronto llegamos a la ensenada de Utría.

¡Es uno de los lugares más bellos del país! Son varios kilómetros donde el mar entra en la selva.

Debo confesar que para mi abuelo había muchos "lugares más bellos del país". ¡Era un enamorado de Colombia!

—Más al sur, en cabo Corrientes, de repente el paisaje cambia. Ocurre en *cabo Corrientes*, al sur de Bahía Solano. La montaña desaparece del lado del mar. La costa se vuelve plana; hay muchos ríos y la tierra es pantanosa.

—Las orillas están invadidas por los manglares. Sus enormes y retorcidas raíces parecen flotar en las aguas, formando una tupida red. Cuando sube la marea, el mar arrastra hasta allí ostras, almejas, y "paniagua", que son moluscos muy pequeños. Estos animales se quedan enredados en las raíces.

—Muchas mujeres esperan que el mar baje para dedicarse a escarbar entre el mangle en busca de conchas. Cuando sube la marea, navegan en medio de la red de raíces sentadas en balsas de caña de bambú, amarradas con fuertes lazos. No se impulsan con remos sino con un palo largo.

—Esto es lo que se ve, si se viaja por el Pacífico, desde cabo Corrientes hasta cabo Manglares, cerca de la frontera con Ecuador, donde terminan los 1.300 kilómetros de costa que tiene Colombia sobre el océano Pacífico.

Luego, mi abuelo permaneció callado mientras pintaba unos hilos en forma de culebra. Al pie de cada uno escribió: *Atrato, Baudó, San Juan, Patía, Dagua* y *Mira*.

—Éstos son los ríos más importantes de la región. La mayoría de cuencas de estos ríos están cubiertas de selva. Antes fueron muy ricas en oro. Pero casi todo se lo llevaron las compañías extranjeras. Los nativos gastan horas y horas buscando las pocas pepas que aún quedan.

—Acurrucados en las orillas, escarban el fondo de los ríos. Usan bateas de madera. En ellas recogen la arena y la hacen girar y girar, revuelta con agua, hasta que solo quedan en su

asiento los brillantes granos de oro. A este trabajo lo llaman "mazamorreo".

—Lo que más amo del Pacífico son sus habitantes, los descendientes de los esclavos. El negro del Pacífico es hermoso. Sus ojos están cargados de melancolía, como si tuvieran la costumbre de fabricar pensamientos tristes. Conservan su música de chirimías, marimbas y tambores. Sus canciones parecen lamentos. Además les gusta mucho relatar historias y cuentos fantásticos.

—Una noche oí a una mujer contar que su hijo de 12 años había sido devorado por un tiburón. Cuando estaba dentro del animal, el niño se acordó que llevaba un cuchillo en

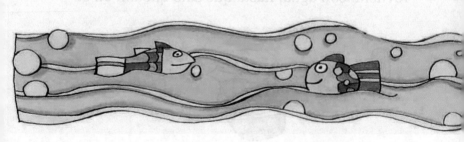

el bolsillo. Entonces destrozó las entrañas del animal y así logró escapar.

—También cuentan, como ciertas, historias de monstruos submarinos que cuidan tesoros en el fondo del mar.

—Hay hombres, como Taltún, que en las noches imaginan que las estrellas resbalan del cielo, y sueñan con atraparlas en un pañuelo. Por todas esas mágicas historias siempre tengo nostalgia del Pacífico.

Papá Sesé se paró de la banca, me tomó de la mano y regresamos a la casa. En el camino no paré de hacerle preguntas sobre aquella maravillosa región.

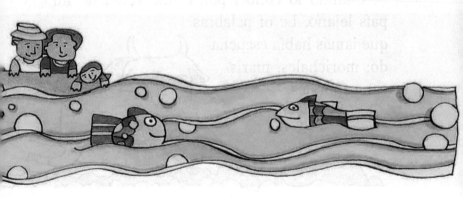

# Una interminable llanura habitada
## por hombres como Mocho Viejo

Un día, hace mucho, llegó a mi casa un extraño visitante. Lo primero que me llamó la atención fue su modo de vestir. Usaba cotizas negras, pantalón y camisa del mismo color, y un gran sombrero alado sobre su cabeza. Se llamaba Mocho Viejo; bueno, así le decían a ese gran amigo de mi abuelo.

Cuando lo conocí pensé que venía de un país lejano. Le oí palabras que jamás había escuchado: morichales, mariscar, caporales.

Hablaba también de caminos que aparecían en verano y desaparecían en invierno, y de ríos que inundan todo en época de lluvias, y luego, en el verano, se pueden cruzar a pie.

Poco a poco lo fui ubicando. Mocho Viejo era un llanero y servía de baquiano a Papá Sesé cuando él, junto con sus amigos, se iba de pesca a esa región. Hasta poco antes de morir mi abuelo fue de pesca.

Los baquianos son hombres que conocen de memoria un territorio, porque lo han andado a pie o a caballo. Ellos no se desorientan nunca

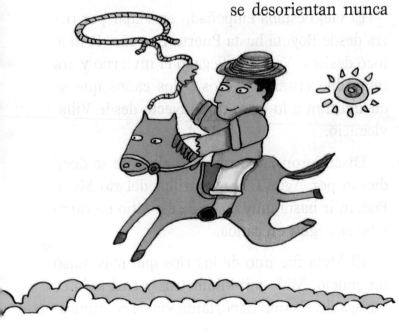

en la inmensidad de la sabana. Se fijan en las matas de monte, en un palo, en un caño, y así van construyendo sus propios senderos.

Aún recuerdo la noche que Mocho Viejo pasó hablando con mi abuelo tratando de acordar un sitio apropiado para ir de pesca.

Papá Sesé sacó de su baúl unos mapas especiales. Eran muchos y estaban muy bien enrollados. Eligió solo cuatro: los de Arauca, Meta, Vichada y Casanare. Los extendió en el piso. Los tres nos acomodamos a su lado, de rodillas, para verlos mejor.

El viejo estaba empeñado en viajar por tierra desde Bogotá hasta Puerto Carreño. Pero le tocó desistir. Ya había llegado el invierno y era imposible cruzar los ríos y los caños que se encuentran a lo largo del trayecto desde Villavicencio.

Discutieron largo rato. Finalmente se decidieron por Agua Clara, a orillas del río Meta. Podían ir hasta muy cerca de ese sitio en carro y luego seguir en canoa.

El Meta fue uno de los ríos que más quiso mi abuelo. Mide mil kilómetros y casi todo es navegable. Es una importante vía de comunicación para los habitantes de Meta, Casanare, y Vichada. Justo a la altura de Puerto Carreño desemboca en el río Orinoco.

—Eso sí —aclaró Mocho Viejo—, primero debemos contar con el permiso de los indígenas que viven cerca de Agua Clara.

Cuando dejaron listos todos los detalles del viaje se fueron a dormir. Tres días después partieron.

Papá Sesé regresó feliz. No tuvieron ningún problema. El cacique indígena les dio permiso con la condición de entregar a la comunidad parte de lo que pescaran. Les hizo prometer, también, que no usarían dinamita, ni atraparían a los peces más pequeños.

Muchas veces, después de la muerte de mi abuelo, he vuelto a entretenerme con los mapas de los departamentos llaneros. Me gusta repasarlos con cuidado. Es como si al mirarlos pudiera revivir sus aventuras con Mocho Viejo.

Además, siempre que los miro, me formo una mejor idea de lo que es el Llano: una inmensa sabana casi plana y cubierta de pastos. La cordillera Oriental solo pasa de lado por el Meta, Casanare y Arauca. Los pequeños montículos que se encuentran esparcidos por la sabana, jamás pasan de los pocos metros de altura, excepto la *serranía de la Macarena*, que supera los 2.000 metros.

Decía mi abuelo que este es uno de los sitios "más bellos del país". La comparaba con una ballena gigante —120 kilómetros de larga por 30 de ancho—, puesta ahí en medio de ese tapete de pasto que es el Llano.

—Allí nacen innumerables arroyos y ríos de aguas cristalinas —me contaba—. Corretean felices manadas de venados, y revolotean cientos de aves diferentes. En la Macarena conviven juntos matas y animales de la montaña, el Llano y la selva. Por esto, científicos de todo el mundo vienen a visitarla con frecuencia. Hay animales que solo viven allí; ¡sí desaparecen, desaparecen del mundo!

Y me hablaba de tres ríos: el Guayabero, el Duda y el Güejar. También de caño Cristales. Otro de los sitios "más bellos del mundo".

—¡Imagínate una caño de muchos colores: verde, rojo, amarillo y negro! En verano, el Sol seca la *macarenia*, planta adherida en las rocas del lecho del caño, y las aguas se ven completamente rojas.

Hasta hace poco, en el llano parecía que no existieran más que hatos, que son fincas enormes donde pasta el ganado, y los rancheríos de los indígenas y los colonos. En los mapas de Papá Sesé aparecen infinidad de esos nombres: hato La Paloma, hato La Virgen, rancherío María...

Al igual que las capitales (Arauca, Villavicencio, Puerto Carreño y Yopal), la mayoría de los poblados están al lado de la cordillera y a lo largo de los ríos más importantes. A orillas de los ríos más caudalosos, como el Meta, el Orinoco, el Vichada, el Tomo, el Tuparro, crecen los únicos corredores de bosques de la zona.

Me alegra pensar que toda esa inmensa sabana está habitada por hombres como Mocho Viejo. A él lo recuerdo mucho. Fue mi héroe durante muchos años. Cada vez que hablaba con él, más lo admiraba y más lo respetaba.

Su vida era increíble. A los doce años ya era capaz de tumbar una vaca o un toro halándolo de la cola. Esto lo hacía a diario cuando se encargaba de cuidar el ganado y alguna res se le escapaba. Aquella práctica es también un deporte que se llama coleo.

Como la mayoría de los llaneros que no tiene ganado ni tierra, Mocho Viejo desempeñaba muchos oficios. Hasta el de cocinero.

Sabía preparar el tungo, una mezcla de arroz con cuajada, y el majule y el machuque, que se hacen con plátano, yuca y queso. Además, era experto en preparar ternera a la llanera, "mamona" y pan de arroz.

Casi siempre se empleaba como peón de sabana. Cuando el Sol empieza a secarlo todo y la sabana se llena de garzas y corocoras, es la época para realizar este trabajo.

En los hatos y en los fundos se reúnen los hombres capaces de marcar el ganado, herrar las bestias y levantar las cercas de los nuevos potreros.

Mocho Viejo me contaba que los jornaleros salen muy de mañana, cuando aún está oscuro, y después de tomar un espeso café cerrero. El que tiene caballo gana más que aquel que no lo tiene. A veces los peones hacen pactos con los amigos.

—Te doy mi caballo y repartimos el jornal —dicen.

Recuerdo mucho lo que afirmaba Mocho Viejo:

—Si salen tres o cuatro vaqueros detrás de un animal, uno solo piensa en una cosa: tengo que enlazarlo primero. Uno quiere hacerlo, tal vez para ganarle a los otros, tal vez para sentirse más grande. Ése es el orgullo del llanero.

Al anochecer, cuando la llanura aparece cansada por el paso del sol, los hombres que trabajan como peones regresan a los ranchos. Unos pocos se quedan en el campo para cuidar el ganado.

Aunque a Mocho Viejo le gustaba más montar a caballo que empuñar un azadón, a ratos se dedicaba a la agricultura. En el Llano llaman vegueros a los hombres que cultivan la tierra porque siembran a la orilla de los ríos. El veguero tiene una norma que no puede violar: siembra en octubre para que las crecientes, al entrar el invierno, no arrastren la cosecha.

Me emocionaba escuchar a Mocho Viejo historias de su oficio de vaquero o caporal. Es una labor que se realiza al caer las primeras lluvias del invierno. Los hombres son contratados para arrear las reses hacia las partes altas o a ferias ganaderas. Manadas de reses son conducidas por el Llano en travesías que pueden durar meses. El caporal va adelante. Él se encarga de buscar la comida y el sitio para dormir cada noche.

—Vengo con seis baquianos y quinientas reses —anuncia cuando llega a una posada.

Es un trabajo lleno de peligros y de aventuras. Mil veces le hice repetir a Mocho Viejo la historia de cómo pasaban el ganado por los ríos plagados de caribes, esos peces carnívoros de dientes afilados.

No sé si era por exagerar, pero Mocho Viejo aseguraba que estas pirañas podían devorar una vaca en menos de un suspiro. Decía que para poder pasar el ganado por esos ríos, mataban un animal y lo lanzaban al agua. Los peces, al ver la sangre, nadaban tras la res sacrificada. Entonces los vaqueros aprovechaban este despiste para cruzar el río con el ganado.

Un día le pregunté a Mocho Viejo si a veces no se aburría de cabalgar y cabalgar por el Llano, donde todo parece ser igual. Se rió. Entonces me confesó que su peregrinaje de sol a sol por las llanuras lo alegraba con música.

—El buen llanero —me dijo— lleva siempre su margalla, que es una especie de mochila donde carga una hamaca, una manta y un poncho para protegerse de los aguaceros. Pero colgado a la espalda, lleva siempre su cuatro.

Mocho Viejo tocaba el cuatro, un familiar chiquito de la guitarra. Más que cantar parecía recitar con voz muy grave sus sentidas coplas. Sus letras hablaban del Llano, de la patria, del amor, de la libertad, de la amistad.

Los llaneros no solo cantan en las noches de "los parrandos", que duran hasta tres días, sino que cantan también al ganado. Tienen canciones especiales para que las vacas se dejen ordeñar y para calmar al ganado en las noches de tormenta. Así evitan la desbandada.

Un día Mocho Viejo me sorprendió aún más. Fue cuando lo escuché contarle a mi abuelo la forma como había curado a una persona mordida por una culebra.

¡Mocho Viejo sabe "rezar" a los mordidos por las serpientes para que no se mueran y al ganado para sacarle los gusanos! A los heridos y a las reses les coloca emplastos hechos con hierbas y les susurra extrañas oraciones aprendidas de los indios.

Me gusta mucho recordar los relatos de Mocho Viejo. Creo que pronto regresará a cumplir una promesa que me hizo: hace unos años me dijo que cuando yo fuera grande, vendría por mí y me llevaría a andar con él por ese inmenso Llano donde unos pocos árboles dan sombra, y donde ahora están explotando muchos pozos de petróleo y han empezado a aparecer grandes proyectos agroindustriales.

Gran parte de la explotación petrolera del país está en Casanare, Arauca y Meta.

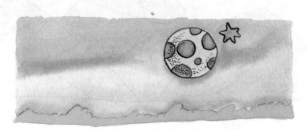

# Un viaje
# con el mensajero
# de los habitantes
# del cielo

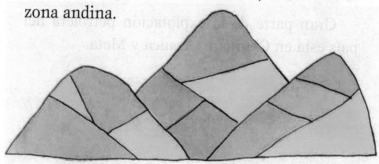

De mi abuelo heredé la manía de relacionarlo todo. Hace poco me dio por jugar a comparar nuestras cordilleras. La más larga y ancha es la Oriental. La más alta es la Central; su pico más elevado es el nevado del Huila; llega a los 5.750 metros de altura. La más bajita, la Occidental. Las tres corren por todo el país de sur a norte, formando la zona andina.

También sé que las montañas son el sitio preferido de los colombianos. La gran mayoría vivimos en la zona andina. Sus valles y laderas ofrecen más posibilidades para subsistir. Sus climas son más benignos. Además es la región donde se concentran más industrias, más cultivos, más ciudades, más riquezas y más carreteras.

Entre el Llano y la selva suman el 52 por ciento del territorio del país pero, según cálculos de los expertos, al final del siglo XX solo vivía allí el seis por ciento de la población.

—Hoy tengo para ti una sorpresa —me dijo cierto día el abuelo.

Me tapó los ojos con las manos y me entró así, a oscuras, a su cuarto. Nos acercamos a una pared y dejó libres mis ojos. Me encontré frente a frente con un nuevo mapa de Colombia. Era muy especial. ¡Las cordilleras estaban hechas en alto relieve!

Parecían de verdad. Allí se veían muy claramente los valles, los cañones, los picos, las mesetas, los nudos... como los veo ahora en Internet.

Nos sentamos sobre los cojines y nos pusimos a hablar de las montañas... Papá Sesé me contó esa noche muchas cosas.

De joven le gustaba escuchar las historias de Pedro Diosa, un arriero dueño de una recua de diez mulas y cinco bueyes. Con ellos recorrió medio país transportando carga por los caminos de herradura de las montañas. De Pasto a Popayán gastaban nueve días, igual que de Neiva a Bogotá. De Bogotá a Tunja la travesía duraba cinco días y de Bogotá a Bucaramanga once.

En las épocas en que no había carreteras, los hombres andaban a caballo o a pie. Los viejos y las mujeres cruzaban las cordilleras sentados en sillas sobre la espalda de otros hombres. Los llamaban cargueros.

—Me gustaría ser un *cóndor* —repetía Papá Sesé siempre que hablaba de la región andina—. Como es el ave que vuela más alto, conoce todos los secretos de las montañas. Lo mismo vuela sobre un pico cubierto de nieve que sobre un humeante volcán. El cóndor es un ser privilegiado. Sabe lo que esconden las arrugas de las cordilleras. Con razón, los indígenas lo consideran el mensajero de los habitantes del cielo.

Durante muchas noches más hablamos del cóndor. En una de ellas, Papá Sesé me dio una pequeña clase de geografía sobre la región andina.

—El cóndor es el símbolo de los *Andes*, la cordillera más larga del mundo. Nace en la Tierra del Fuego, al sur del continente y recorre más de 8 500 kilómetros antes de morir en Venezuela. Al llegar a Colombia se divide y forma tres trenzas de montañas. Su nombre viene de una palabra quechua, idioma que hablan los indígenas del altiplano andino. Andes quiere decir "metal".

Luego de enseñarme esto, mi abuelo se paró, se acercó al mapa de relieve y señalando las tres cordilleras me dijo:

—Todo esto lo conoce muy bien el cóndor. Cuando vuela sobre la cordillera Oriental ve el páramo más grande del mundo, el de Sumapaz, o también ciudades tan pobladas como Bogotá y Bucaramanga.

—Si escoge la cordillera Central, de pronto se puede asustar con uno de sus volcanes. Todos los nevados de esta cordillera son viejos volcanes dormidos. Siempre existe el peligro de que uno de ellos despierte y explote. Hay unos hombres sabios en el sueño y el despertar de los volcanes. Se llaman "vulcanólogos".

—La cordillera Oriental es la más poblada y es muy fértil. A la Central la llaman la "cordillera del café". Pero el paisaje está cambiando: cada vez hay menos café y más cultivos de plátano y cítricos, y grandes potreros para el ganado.

—Si el cóndor se decide a volar sobre la cordillera Occidental, verá los cañaduzales y las chimeneas de los ingenios y de las fábricas al pasar sobre Cali. Allí, sobre el espinazo de la montaña, están los Farallones de Cali: una serie de picos separados por cañones y barrancos . Si vuela muy alto, al otro lado, ve el mar...

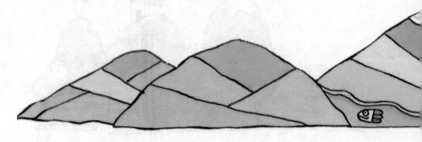

—Más al norte, cruzará sobre el *nudo de Paramillo*. Allí la cordillera se abre en tres ramales, como los dedos de un pato: *la serranía de Abibe*, la *serranía de San Jerónimo* y la *serranía de Ayapel*. De este nudo se descuelgan los ríos San Jorge y Sinú que bañan las sabanas de Córdoba.

Papá Sesé interrumpió su relato y me dijo que continuaríamos al día siguiente.

En la mañana, el abuelo se levantó muy temprano y fue a mi cuarto a despertarme.

—Anoche tuve un sueño maravilloso —me dijo mientras me mecía con cariño—. ¡Imagínate, hablé con el cóndor!

Al oírle decir esto me acabé de despertar. Me senté. Papá Sesé se acomodó a mi lado y comenzó a narrar una historia fantástica:

—Todo comenzó durante un viaje al sur de Nariño, en el cañón del río Pasto. Yo estaba

sentado mirando el imponente paisaje, cuando de repente vi cómo un cóndor, de majestuosas alas negras, con manchas blancas en las puntas, se acercaba a mí. ¡Confieso que sentí temor! ¡Era tan grande! Pero como un perrito fiel, se posó a mi lado. Así lo observé mejor. De verdad, verdad, como dicen los campesinos y los indígenas, parece un cura. Todo emplumado en negro y con un collar blanco alrededor de su cuello, da la impresión de estar vestido con una sotana. Tiene un rostro de anciano: ¡le cuelgan tantas arrugas alrededor de su pico...!

—De pronto el cóndor empezó a hablar. No sé explicarte cómo era su voz; entre ronca y

suave, entre joven y vieja. Trataré de imitarla para repetirte lo que me dijo.

Mi abuelo estaba realmente excitado. Ensayó varios tonos de voz. Escogió uno y empezó a silbar como silban los cóndores.

A Papá Sesé le gustaba imitar los animales cuando me relataba sus cuentos y fábulas. Esta vez, para parecerse al cóndor, se escondió dentro de una ruana negra, se anudó un pañuelo blanco en el cuello y movía sus largos brazos como si fueran alas.

—Soy el Cóndor, el ave reina de los Andes. Todas las aves me respetan. Pero estoy cansado de huir de los hombres. Muchos creen que soy malo, que causo daño al ganado. Casi nunca cazo un ser vivo. Vivo de comer animales muertos.

—Sé que piensas que conozco los Andes y todos sus secretos. Tienes razón. He recorrido una a una sus arrugas. Son profundas, así como las mías...¡Ah!, y tengo otro secreto: Me gusta escuchar a los hombres sencillos cuando hablan, por eso sé muchas cosas...

—Te voy a contar sobre mis amigos, los indígenas. Ellos son los que más me quieren. Yo también los quiero a ellos. Sobre todo porque me respetan y jamás me atacan. Por eso, los cóndores construimos casi siempre nuestros dormideros en la tierra de los guambianos y nasas del Cauca, en las montañas que rodean el valle de Sibundoy, en Putumayo. Allí los ingas se visten como nosotros, con ruanas negras y collares de chaquiras blancas alrededor del cuello. Una vez les escuché decir: "Andamos vestidos al estilo cóndor".

—Al norte de Sibundoy hay un gran volcán. Junto a otros seis volcanes y 50 lagunas, forman un hermoso parque. La región es un pequeño paraíso. La montaña parece entapetada con terciopelo verde. Al volcán lo bautizaron los indígenas con el nombre de Puracé, que en su idioma quiere decir "montaña de fuego". Allí nace un río tan, pero tan ácido, que lo llaman Vinagre.

—Este parque —también se llama Puracé—, es muy quebrado por lo montañoso. Sé que los colombianos lo estiman mucho porque allí está el macizo Colombiano, donde nacen cuatro ríos muy importantes: el *Magdalena*, el *Cauca*, el *Patía* y el *Caquetá*.

—¿Ahora quieres que te hable de mi vida? Cuando estaba pequeño me gustaba volar sobre

Nariño. Iba siempre acompañado de dos o tres cóndores niños. ¡Era muy divertido jugar allí! La cordillera daba la impresión de estar cubierta de una colcha de retazos. Desde arriba veíamos miles y miles de cuadritos de diferentes colores.

—A veces apostábamos a contar cuántos cuadritos tenía cada montaña. Otras jugábamos, desde el aire, algo parecido a la golosa que juegan los niños en las calles. Ahora sé que los campesinos de Nariño cultivan retacitos de fique, de papa, de cebada...

—Jugábamos también en el valle de Cocora, en el Quindío. Apostábamos carreras, en el aire, haciendo zigzag en medio de los bosques de palmas de cera. Las palmas son tan altas como un edificio de veinte pisos y tan delgadas y erguidas que parecen flechas lanzadas desde arriba. Con sus penachos le hacen cosquillas al cielo.

—Cuando estoy triste y melancólico, porque los cóndores también somos románticos, vuelo hasta encontrar, en Antioquia, una montaña repleta de orquídeas. ¡En un solo árbol hay hasta 45! Es un parque natural, donde en medio del jardín de orquídeas he visto corretear al oso de anteojos. ¡Pobre, yo sé cómo lo persigue el hombre con sus escopetas!

—Cuando me siento así, romántico, el ruido del agua que cae me hace mucho bien. Entonces cierro mis ojos para escuchar las cascadas.

—Tengo mis caídas de agua preferidas: la cascada del río Sequetá, en Norte de Santander; el salto de Candelas, en la cordillera Oriental, cerca de Sogamoso; y el salto de Tequendama, no lejos de Bogotá.

—Un abuelo de mi abuelo, un cóndor real que medía más de tres metros de la punta de un ala a la otra, voló a lo largo de todos los Andes. Desde la Patagonia hasta Venezuela. De eso hace centenares de años. Él contaba que entonces no existían ciudades en las montañas. Solo había un pueblo sagrado en el Perú: *Machu Picchu*, una aldea de piedra construida por los incas.

—En Colombia, hasta hace 50 años, no había más que pueblos y ciudades pequeñas en la región andina. Pero después de 1950 allá abajo, entre las cordilleras, algunos puntos comenzaron a agrandarse. En aquellos tiempos yo los veía como puntos rojos. Era por el color de las tejas de barro de los techos. Luego, los puntos se volvieron grises y ahumados por los edificios y las fábricas. Las más habitadas son: Bogotá, Medellín, Cali, Bucaramanga, Cúcuta, Manizales, Pereira, Armenia, Ibagué, Tunja, Neiva, Palmira.

—Volar sobre la nieve me llena de paz. No sé cuál de los nevados que conozco me gusta más. El *Quindío*, el *Tolima*, el *Santa Isabel* o el *Ruiz*. Están muy juntos, en la cordillera Central. Por eso, llaman a esta zona el *Parque de los Nevados*. Cerca, hacia el sur, se halla el nevado del Huila.

—¡Es tan hermoso ver la cumbre cubierta de nieve! ¡Hace tanto frío allá arriba! Las gotas de agua en vez de volverse lluvia se convierten en nieve.

—También "correteo" sobre la *Sierra Nevada del*

*Cocuy* en la cordillera Oriental, en territorio de Boyacá, Casanare y Arauca. Vuelo bien alto y luego bajo en picada sobre cada una de las crestas de nieve. Son 22 en total. Otras veces me miro en sus bellas lagunas. Las hay de muchos colores: azules, verdes, plateadas...He contado más de 40. Mi preferida es la Laguna de la Plaza. Sus aguas son muy azules. Está rodeada de montañas grises salpicadas de escarcha y de frailejones de penacho amarillo.

—Me agrada ver los caminos que los hombres han trazado por esta montaña. Cerca de allí, en el *páramo de Pisba*, por uno de estos caminos, subieron los llaneros con el ejército libertador a pelear contra las tropas españolas en los campos de Boyacá.

—Algunos días prefiero seguir el camino de los ríos. Si elijo el Magdalena, busco en el macizo Colombiano la pequeña laguna del mismo nombre, donde el río nace, y empiezo el vuelo. Al comienzo viajo en medio del páramo y de un estrecho por donde la corriente de agua baja de la montaña. Luego, vuelo sobre los valles fértiles y cultivados del Huila y un poco más allá de Neiva, recostado sobre la cordillera Oriental, le echo un vistazo al desierto de la Tatacoca. Bueno, no es un desierto propiamente dicho sino un bosque seco tropical. Es un sitio mágico, de formaciones rojas y grises, donde pocas familias pastorean cabras.

—Más allá de La Dorada, el paisaje cambia. Abunda la selva malsana y pantanosa. En este tramo —el Magdalena Medio—, existe un sitio que quiero mucho. Es Cantagallo, pueblo y ciénaga, cerca de Barrancabermeja, ese centro petrolero lleno de pozos, chimeneas y tanques enormes. En Cantagallo tengo dos amigas secretas. Se llaman Taba y Florentina. Son pescadoras. Ellas no me conocen, ni siquiera me imaginan... Pero yo las saludo en secreto desde el aire.

—Cuando las veo me detengo y doy vueltas entre las nubes solo para mirarlas. Me encanta ver cómo reman en sus canoas y lanzan sus atarrayas, para atrapar los peces de la ciénaga. Nunca me he atrevido a bajar por el pescado que a veces dejan en las orillas. ¡Temo asustarlas!

—También me gusta volar sobre el río Patía. Es un río obstinado. Nace en la cordillera Central, en medio de apretadas montañas. Alguien le debió hablar del mar, y solo por conocerlo se atrevió a romper la cordillera Occidental. Así se labró su propio camino hacia el océano: el imponente *cañón del Patía*.

—Cuando tengo ganas de realizar largas travesías, sobrevuelo la cordillera Oriental. ¡Es tan larga! Mide 1.200 kilómetros. Paso sobre los cultivos de flores de la sabana de Bogotá y sobre los potreros de ganado de Ubaté y Chiquinquirá y sobre los páramos de Sumapaz y de Pisba. Me llaman mucho la atención los campesinos boyacenses con sus ruanas y sus sombreros, y las largas trenzas de sus mujeres.

—Ya en territorio de Santander me hundo en el cañón del río Chicamocha, ¡el surco más profundo de Colombia!. Mi viaje termina muy

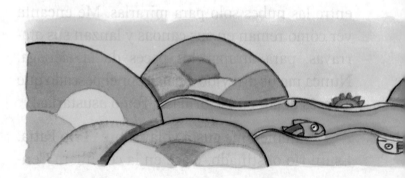

al norte, en la serranía de los Motilones. Allí, en medio de la jungla, en pueblitos hechos de cemento y tejas de cinc, viven unos indígenas que hace años fueron grandes guerreros: motilón- barí.

—Pero no todos los días del año puedo volar. En los días lluviosos, cuando el cielo está cargado de nubes y no hay vientos que me ayuden a elevarme, me quedo en mi cueva, al lado de los paeces y los inganos.

—Bueno, ya me marcho. Pero antes te contaré otro secreto. ¿Sabes por qué tengo mis alas manchadas de blanco en las puntas?

—Ocurrió hace muchos años... Uno de mis antepasados llevó a un niño de viaje sobre su lomo. Quería mostrarle cómo es el mundo

desde arriba. Pero voló tan alto, que llego junto al Sol, y el Sol quemó las puntas de sus alas.

Mi abuelo terminó el relato de su sueño, agitó las alas de su ruana y se alejó como si flotara en el aire. Jamás le había visto una cara de tanta felicidad y placidez... Luego regresó, me dio un beso en la frente y me dijo con cariño:

—Es hora de ir a la escuela.

Recuerdo que aquel día puse muy poca atención en clase. ¡Me la pasé volando todo el día con el cóndor!

# El mágico embrujo
## de la selva

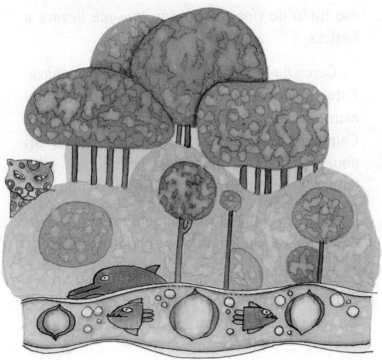

Un día mi abuelo me lanzó así, a bocajarro, una pregunta:

—¿Tú crees que saliendo de Bogotá se puede llegar a Leticia, sin montarse jamás en un avión?

"Otra de las chifladuras del viejo", pensé. Pero al ver la seriedad de su mirada adiviné que otra vez, el equivocado era yo.

Me planté frente al mapa dispuesto a no dejarme derrotar. Por lo que sabía, de Bogotá a Florencia, capital de Caquetá, no había problema: se llega por carretera. Mi duda empezaba allí; sabía que, de ahí para abajo solo hay selva y ríos. Me demoré tratando de unir por ese nudo de ríos un camino que me llevara a Leticia.

Cerca de Florencia ubiqué el río Orteguaza. Este empata con el río Caquetá. Hasta aquí el asunto resultó más o menos fácil. Seguí por el Caquetá pero este me llevó hasta Brasil. Mi abuelo, era su costumbre dejarme pensar soluciones, esperó un rato y por fin me ayudó.

—Busca sobre el río Caquetá un sitio que se llama La Tagua. Cuando lo encontré agregó:

—Ahora, sobre el río Putumayo busca Puerto Leguízamo. Lo encontré fácil, estaba al sur, casi en línea recta.

—Esos dos puntos—, explicó el abuelo —están unidos por una carretera de 25 kilómetros. La construyeron hace mucho, en 1929, cuando el país empezó a pensar en ese retazo de selva y se inició una colonización militar con la idea de colombianizar esas tierras ocupadas por peruanos que esclavizaron indígenas en la época del caucho. La primera vez que crucé por allí era un camino de palos en medio de la selva. Ahora es un camino angosto, encementado, en medio de potreros dedicados a la ganadería.

—Bueno,— dijo el abuelo, poniéndose un poco triste—, después hablamos de eso, de cómo se están acabando los árboles de la selva...

Seguí con la vista en el mapa. Ya estaba en el Putumayo.... Con el dedo recorrí este río que bordea buena parte de los departamentos de Putumayo y Amazonas. Pasé por encima del comienzo de esa pata del mapa que es el Trapecio amazónico y llegué a Brasil.

Miré, otra vez, desconcertado a mi abuelo. En sus ojos leí que iba bien...Así que busqué el globo terráqueo, seguí por el Putumayo hasta que se encontró con el Amazonas. Tenía la clave: ¡tomar el Amazonas, aguas arriba, hacia Colombia y llegar a Leticia!

—"Es un viaje largo", me dijo mi abuelo. —Puede durar entre 15 y 20 días según la época del año. En invierno se acorta porque se puede navegar de día y de noche.

Recuerdo que poco antes de morir, Papá Sesé me habló de la posibilidad de hacer un canal fluvial para unir el Atlántico con el Pacífico por la selva. Sí, se iniciaría en Tumaco, en nuestra costa Pacífica. De allí, por carretera, se llegaría a Puerto Asís, donde empezaría la travesía por los ríos Putumayo y Amazonas hasta llegar al Atlántico.

En los periódicos leí que esta posibilidad se está estudiando.

Hay muchos sitios en la selva que quiero conocer. ¡Papá Sesé me habló tanto de ellos! Los tengo en una lista, y numerados para no olvidarlos.

1. Mitú, la capital del Vaupés: "La población de selva más linda de Colombia".

2. La Chorrera, un pequeño caserío al lado de un remanso que forma el río Igará Paraná y centro del más extenso resguardo indígena del mundo. Allí tuvo uno de sus más grandes campamentos la Casa Arana, tristemente famosa

pues condenó a cientos de indígenas a trabajar en los siringales, bajo el régimen del látigo y las cadenas. Mi abuelo alcanzó a escuchar historias de horror de esos tiempos de las caucherías. "Me las contó Marcelo Buenaje una noche en su maloca en La Chorrera, mientras masticaba coca y ambil".

3. Soñaña, en la mitad de la selva del Vaupés, "un pueblo, por lo diminuto y hermoso como una aparición".

4. Los cerros de Mavecurí, tres montañas de roca a orillas del río Inírida donde, dicen los indígenas, crece la planta del amor.

5. La Estrella fluvial del sur, en la frontera con Venezuela . Allí se juntan tres ríos de aguas diferentes formando una cruz: El Atabapo, el Guaviare y el Orinoco.

6. El río Apaporis tiene tantas curvas que parece un resorte recién estirado. Mi abuelo decía que todos los colombianos deberíamos conocer el raudal de Jirijirimo, y el Túnel del Apaporis, túnel que el mismo río labró. Los dos sitios quedan cerca de Pacoa, pequeña población, en un lugar del trayecto donde el Apaporis sirve de límite entre Vaupés y Amazonas.

—La selva embruja. Uno va una vez, se enmanigua, y ya no quiere volver a salir—le escuché decir en muchas ocasiones a Papá Sesé.

El viejo conocía todos los departamentos de la región: *Amazonas, Guainía, Vaupés, Guaviare, Putumayo* y *Caquetá*. No lo atemorizaban ni las serpientes, ni los jaguares, ni las hormigas carnívoras, ni los peligrosos rápidos de los ríos.

Para llegar a Yavaraté, por ejemplo, en esa especie de garra que tiene el Vaupés en medio de territorio de Brasil, tuvo que pasar 60 cachiveras. Así llaman a los rápidos que se forman en este río. Algunos tienen remolinos tan peligrosos que hay que arrastrar las canoas con cabuyas.

Pero algunas ni así se pueden cruzar. Canoa y pasajeros deben caminar por la selva, para continuar navegando cuando la corriente recupera la calma.

Solo después de muchos viajes a la selva, Papá Sesé sintió un poco de miedo. Fue cuando voló por primera vez sobre ella. ¡Lo impactó descubrir su impenetrable inmensidad!...

—Imagínate una carpa verde sobre la que uno vuela horas y horas —me contó el abuelo—. Parece como si todos los árboles del mundo se hubieran puesto cita en un mismo lugar. Sus ramas crecen tan pegadas las unas de las otras, que no se sabe dónde empieza la copa de un árbol y dónde termina la del otro. Es como si millones de árboles hubieran tejido una enorme red para no dejar pasar los rayos del sol.

—Esta deslumbrante visión —agregó mi abuelo— solo la rompen los ríos. Desde el aire parecen inmensas culebras de barro que se retuercen formando largos caminos. Muy de vez en cuando, y casi siempre al lado de los ríos, se ven unos claros entre el bosque. Da la sensación de que hubieran cortado con tijeras retazos de colcha verde. Los colonos y los indígenas roban trozos de espacio a los árboles para plantar sus viviendas y sus cultivos.

Al viejo le encantaba escuchar historias de la colonización de Caquetá y Putumayo. De Huila, Tolima, Nariño...llegaron cientos de campesinos detrás de un pedazo de tierra. Las bonanzas han sido como un imán para atraer gente. "La última", repetía mi abuelo con tristeza, "solo ha dejado dolor y violencia". Se refería a la coca.

Debe ser por su aire de misterio que a mí me gusta tanto la selva. Me encanta mirar los mapas, seguir el curso de los ríos e imaginarme cómo vive la gente en esos lejanos lugares.

Hace poco encontré un libro en el baúl. Se llama *Amazonía colombiana*. Es de Camilo Domínguez, un geógrafo parecido a mi abuelo. Para escribirlo, él recorrió palmo a palmo la selva durante quince años.

Como heredé del viejo la manía de hacer anotaciones, en mi libreta copié textualmente esta frase de ese libro:

*"Conocer la Amazonía significa sufrir los zancudos del Putumayo; las garrapatas del Yarí; las niguas del río Negro, gozar del salto Gloria, en el río Inírida; de una meseta de orquídeas en el*

*Apaporis o una charla con los ancianos miunane en el Cahuinari".*

También tomé algunas notas sobre otras cosas del libro que me llamaron la atención:

*"La selva existe por las altas temperaturas y porque llueve mucho todo el año. La selva amazónica es la más grande del mundo. Cubre grandes territorios de cinco países suramericanos: Brasil, Venezuela, Perú, Ecuador y Colombia. No toda la selva es tan tupida. Existen partes donde los árboles no crecen tan altos, ni tan pegados los unos a los otros. Hay selvas bajas de matorrales. Todo depende de la cantidad de lluvia. Donde llueve más, la vegetación es más cerrada, más exuberante, más alta. Donde hay por lo menos un mes totalmente seco, los árboles son más pequeños y separados".*

También me gustó del libro el capítulo que cuenta la cantidad de lenguas que se hablan en la selva. Parece una torre de Babel.

Es increíble. Hasta pueblos vecinos emplean un idioma distinto. Por eso, un mismo animal se llama diferente en cada lugar. Por ejemplo, el cerdo de monte en el Guaviare se llama baquiro, en el Vaupés taiasú, en el Caquetá tatabro o manao, en el Putumayo huanagana, en la frontera con Brasil quiechada, y en río Negro también taiasú.

Cuando me pica la curiosidad por saber más de esa lejana y misteriosa región, me encierro en mi cuarto y saco del baúl un tesoro: unas fotografías que heredé de Papá Sesé. Cada una tiene una leyenda escrita por detrás. No me canso de mirarlas y releer los garabatos de mi abuelo.

Ésta es una escuela indígena. Allí, los niños aprenden a leer y a escribir en su lengua y en español.

Los niños de la selva aprenden a navegar solos por ríos y caños.

Los indígenas llaman "cachiveras" a los rápidos de los ríos. Unos son tan peligrosos que obligan a los viajeros a echarse la canoa a hombros y llevarla por la selva a un tramo del río donde no haya peligro.

La maloca es la casa tradicional de los
indígenas. Es muy grande, sirve de vivienda y
es el lugar para celebraciones y fiestas.

# Adivina, adivinador, ¿qué región de Colombia lo tiene todo?

No olvidaré la noche en que encontré a Papá Sesé concentrado trabajando sobre su mesa. Pensé que trataba de armar algo parecido a un rompecabezas. Estaba tan ensimismado que no me hizo caso.

Sobre la mesa tenía un croquis de Colombia pintado en una cartulina; al lado, unas piezas. Eran como pedacitos de paisaje: unos árboles, otros como montañas de nieve, otros con valles de arena...Traté de armar mentalmente aquel rompecabezas, pero no le encontré ninguna forma. Las fichas no encajaban unas con otras. Permanecí un rato en silencio pensando qué estaría tramando mi abuelo.

—Siéntate —me dijo finalmente, como aceptando por fin mi presencia—. Adivina, adivinador —añadió—, ¿qué región de Colombia tiene un poquito de selva, un poquito de montaña, otro de páramo, de nevado, de pantano, de desierto, de costas, ciénagas y sabanas? ¿Cuál es?

La adivinanza del viejo me tomó por sorpresa. Por eso me demoré unos minutos para responder.

—La Amazonia no es —contesté—. El Pacífico tampoco, porque allí no hay páramos ni nevados. La zona andina tiene páramos, nevados, selva...¿y desiertos? ¿Desiertos? me quedé pensativo.

—Te voy a ayudar —me dijo mi abuelo—.

No es la zona andina, aunque allí hay varios desiertos: recuerda que algún día te hablé del desierto de la Tatacoa un lugar mágico en el Huila, y de otro desierto cercano a Villa de Leyva, en Boyacá. Pero fíjate: no es la región andina, porque allí no hay costas, tampoco la Orinoquia, pues ésta únicamente es una inmensa sabana. Entonces, la zona que tiene de todo es...¿es?

—¡El Caribe! —grité feliz, aunque sabía que había adivinado con trampa. Era la única región que quedaba por citar.

—Bien, bien —exclamó Papá Sesé, dándome una palmadita en la espalda—. Tengo todo preparado para jugar a armar el rompecabezas del Caribe.

—Aquí tengo retazos de paisajes de toda Colombia —agregó mostrándome las piezas de cartulina —. Ahora, coloquémoslas en este croquis. Bien al norte, pongamos un desierto: La Guajira.

—Sueña por un momento con un lugar donde hace mucho calor y no se puede ir a un río o a un arroyo a recoger el agua o a refrescarse. En la Alta Guajira no corren ríos ni quebradas permanentes. Y cuando llueve, el agua no alcanza siquiera a empapar toda la tierra. Por eso, los guajiros aprenden a desenterrar las aguas subterráneas.

—Una planta distinta a las que comúnmente crecen en el desierto, o un poco de humedad en la arena son las señales que les indican que debajo hay agua. Por su escasez, los guajiros no son agricultores sino pastores de cabras y ovejas. Además, su tierra es rica en minerales: yeso, sal, gas, carbón.

En el croquis, sobre la costa de La Guajira, Papá Sesé escribió un nombre: *Manaure*. Al lado, dibujó una mujer vestida con una larga manta, que empujaba una carretilla repleta de sal.

—Desde hace muchos años, pero muchos años —relató mi abuelo—, los indígenas wayuús han explotado la sal del mar. En la época de "cosecha", enero y agosto, llegaban a Manaure miles de indígenas para trabajar en las charcas, donde almacenaban el agua salada. Hoy van pocos. Ellos dicen que unos "arijunas", así llaman a los que no son de su raza, los empezaron a engañar hasta que les quitaron su sal.

Retomando el mapa, mi abuelo escribió otro nombre: *Bahía Portete*.

—Hoy atracan allí grandes buques. Enormes grúas los cargan de carbón, extraído de una de las minas más grandes del mundo: El Cerrejón.

—Bueno, ya tenemos desierto. ¿Qué colocamos ahora? —preguntó el viejo.

Me quedé pensativo. Miré el mapa en relieve y dije:

—¡La montaña!

—Muy bien, muy bien —comentó mi abuelo—. Entonces pongamos primero las montañas pequeñitas. Tomó varias piezas con forma de montaña y las colocó en La Guajira.

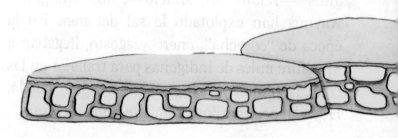

—Son pequeñitas —dijo —. Creo que no llegan a los 1.000 metros de altura. Tienen nombres indígenas: Macuira, Jarará, Parash, Cosinas...

—Ahora viene la sorpresa, ¡prepárate! —dijo con una inmensa sonrisa—. ¿Sabes que en Colombia está la montaña más alta del mundo cercana al mar? te lo había dicho, ¿verdad? Pues así es. La montaña costera más alta del mundo...es...¡la Sierra Nevada de Santa Marta! Es una montaña completa. Tiene todos los paisajes, todos los climas. Surge casi del lecho del mar, en medio del calor, la humedad y la selva. Sube y sube hasta terminar cubierta de nieve en los picos más altos del país: el Simón Bolívar

y el Cristóbal Colón. Miden 5.765 y 5.770 metros de altura. La Sierra es una verdadera fábrica de agua. De allí bajan los ríos que alimentan la costa.

—La sierra es una maravilla— prosiguió mi abuelo—. Cuando llegaron los españoles, la encontraron llena de poblados unidos por senderos de piedra. Allí vivían los tayronas. Los de "arriba" cultivaban la tierra, los de "abajo", se dedicaban a sacar los deliciosos frutos del mar. Luego cambiaban maíz por peces, o sal por algodón.

En esta "montaña mágica" habitan todavía los indígenas kogis, arhuacos, arsarios y kan-

kuamos. Los kogis y arhuacos construyen pueblos de casas redondas y en medio levantan una casa mucho más grande. Es la casa de ceremonias, su templo.

— Nabusimake —continuó el viejo—, la capital de los arhuacos, a la que los capuchinos bautizaron con el nombre de San Sebastián de Rábago, es uno de los pueblos más bellos de Colombia.

—En esta pirámide montañosa de tres caras está Ciudad Perdida, ciudad tayrona que permaneció escondida bajo un manto de vegetación durante siglos. Los arqueólogos, no hace mucho, descubrieron 160 terrazas cons-

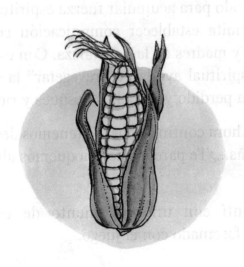

truidas de filas de piedra y roca de varios tamaños. Los antiguos construyeron terrazas como sistema de control de las aguas lluvias.

—Cuando la visité por primera vez —siguió mi abuelo adoptando un tono solemne—, me sorprendió el concierto de sonidos que acompañan el amanecer. Se repite en la tarde cuando el Sol empieza a apagarse. La inician los monos aulladores con su ulular que se confunde con el sonido de miles de árboles movidos por vientos furibundos.

Guardó silencio. Supe que recordaba su último viaje del que lo vi regresar conmovido: vio, en los filos de las montañas, a los Mamos —sacerdotes indígenas— mambeando coca, y meditando para acumular fuerza espiritual que les permita establecer comunicación con los padres y madres de la naturaleza. Con este trabajo espiritual ayudan a "revegetar" la sierra, pues ha perdido ya muchos bosques y ríos.

—Ahora continuemos. Ya tenemos desierto, montaña...¿Te parece que coloquemos ahora la selva?

Asentí con un movimiento de cabeza. Estaba fascinado con el juego.

—Ya colocamos un retazo de ella en la Sierra Nevada. Ahora ubiquemos otro pedazo de selva aquí—dijo, y señaló la costa colombiana cerca de Panamá. En esa entrada profunda que forma allí el mar, colocó un nombre: golfo de Urabá.

—Este es el golfo más grande de Colombia. Sus aguas son oscuras y traicioneras. Por eso, los marineros temen navegar por él. Una orilla del golfo pertenece al Chocó y es selvática. La otra orilla es de Antioquia y está cubierta, como si fuera un inmenso tapete verde, de cultivos de banano. Frente a sus costas fondean barcos que salen cargados de banano a países tan lejanos como Arabia, Etiopía, Líbano, Túnez, Holanda, Suecia...

—Pero hay otros paisajes en el Caribe —anunció mi abuelo—. Al sur de los departamentos de Bolívar, Magdalena, Sucre y César existe una zona muy caliente, húmeda y pantanosa. Se inunda siempre que llega el invierno y se desborda el río Magdalena. Cruzan tantos ríos y caños por allí, y hay tantas ciénagas, que parece que en el lugar existieran solo islas.

—Allí confluyen los ríos Cauca, San Jorge y César, este último a través de la ciénaga de Zapatosa. Se conoce como la depresión Momposina.

—La ciudad más importante de esta región es Magangué. En este puerto sobre el Magdalena se comercian el arroz y el ganado de las llanuras; las hamacas de Morroa, tan anchas que les cabe una familia entera, y unos tabacos tan largos, que los campesinos los usan para medir las jornadas de los caminos.

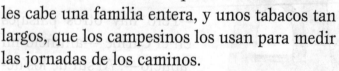

—Cerca de Magangué—prosiguió—, se halla otro de los pueblos más bellos de Colombia: Mompós. Sus casas coloniales son grandes y blancas de amplios patios llenos de flores. Todavía se encuentran en sus talleres hombres llenos de paciencia que tejen a mano el oro.

—Bien, bien—dijo Papá Sesé haciendo una pausa en su relato—. Aun nos faltan las sabanas. En ellas hay inmensas fincas ganaderas, bananeras... y ciudades como Montería, Sincelejo, Valledupar, Codazzi, Fundación...

—Hasta la década de los años 80, había grandes cultivos de algodón. Éstos han disminuido y han aumentado los cultivos de palma africana y sorgo. Hay también ñame, yuca, arroz, ajonjolí... En algunos sitios la explotación minera desplazó a la agricultura.

—Hace años, en agosto, época de recolección del algodón, llegaban a esas llanuras hombres y mujeres de toda Colombia: los andariegos. Se amarraban un trapo blanco en la cabeza

para protegerse del sol, y con un talego colgado en la cintura se internaban en los cultivos para atrapar los copos blancos de algodón.—Ellos iban por el país, de cosecha en cosecha. En agosto recogían el algodón de la costa, en mayo y octubre el café de Caldas,Risaralda y Quindio y el arroz y el sorgo del Tolima, en junio y noviembre.

—¿Y Cartagena, abuelo? —le pregunté extrañado de que se hubiera olvidado de un lugar tan bello.

—Está bien, ahora coloquemos las grandes ciudades. Primero Barranquilla, el puerto más importante de nuestro Caribe, un alegre y activo centro industrial. Sus hijos la llaman cariñosamente "La Arenosa" o "Curramba la Bella". Por sus muelles entró el progreso. En sus cielos voló por primera vez un avión en Colombia.

El viejo colocó el nombre en el mapa y pintó unas chimeneas cerca.

—Santa Marta es la ciudad del país donde menos llueve. ¡La Sierra Nevada la protege de los aguaceros! Sobre sus calles casi siempre sopla una fresca brisa. Sus playas son preciosas, de arenas blancas y doradas, entre bosques salvajes. Pero hay que tener cuidado con las corrientes y las olas que son muy fuertes en verano.

—Y ahora, para que no te inquietes, ubiquemos a Cartagena, con sus playas y su ciudad amurallada. Es el sitio de Colombia más visitado por los turistas.

Yo quería dar por terminado el juego e intenté pararme. Estaba contento, pero un poco cansado.

—Espera —me dijo Papá Sesé tomándome del brazo—. Deja tu impaciencia, solo nos faltan unos huequitos...

Efectivamente, había unos claros en el croquis. Entonces el viejo pintó, cerca de Santa Marta, algo semejante a una gran laguna.

—Ésta es la ciénaga Grande de Santa Marta— me explicó. Dentro de la laguna pintó una casa con patas—. Allí hay pueblos que crecen en el agua —siguió contándome—. Las casas de Nueva Venecia, Trojas de Cataca y Buena Vista, pueblos lacustres, están montadas en zancos. Las calles son de agua y para ir de un lugar a otro no hay que caminar, sino montarse en canoas y remar.

—Los niños aprenden desde los dos años a manejar sus pequeñas embarcaciones. Nadar es muy importante para ellos. Como no tienen potreros para jugar fútbol, sus canchas son las playas de la ciénaga. Allí se inventan muchos juegos...

—Según un geólogo muy importante la ciénaga Grande es el vestigio de una antigua bahía que entraba en el continente y el río Magdalena rellenó.

—Entre la ciénaga Grande y el río Magdalena hay gran cantidad de pequeñas ciénagas que se comunican por caños. Forman un complejo lagunar enmarcado por el mar, la Sierra Nevada y el Magdalena. Cuando se viaja entre Barranquilla y Santa Marta un tramo de carretera se hace teniendo a un lado el mar y al otro, la ciénaga.

Mi abuelo calló durante unos minutos. Estaba como pensativo.

—Olvidaba algo —dijo cortando su silencio—. Cerca de Cartagena hay varios pueblitos: Ovejas, Zambrano, Carmen de Bolívar. El cultivo tradicional de esta zona ha sido el tabaco negro.

Mi abuelo escribió todos estos nombres. Miré el mapa. Ahora sí estaba terminado. Dentro del croquis aparecían ahora La Guajira, Bolívar, Magdalena, Atlántico, Córdoba, Sucre y Cesar. Creo que este es uno de los más bellos dibujos que hizo Papá Sesé. Yo lo conservo como el más preciado de los recuerdos.

# Las moronas de la tierra colombiana desperdigadas en el mar

—¿Te acuerdas, —me dijo un día el abuelo—, el asombro que te causó saber que Colombia tiene frontera en el mar, con Jamaica? Pues hay más: Colombia comparte fronteras marítimas con Haití, Honduras, Nicaragua, República Dominicana, Panamá y la región Caribe de Venezuela y en el océano Pacífico con Ecuador y Costa Rica.

¿Colombia con límites tan lejanos? El abuelo me dio la mano y nos fuimos a su cuarto a indagar en los mapas. Y fue resaltando con marcador unos puntos perdidos en el mar...

—Todas estas moronas de tierra colombiana desperdigadas en el Caribe y en el Pacífico, forman la región insular —me contó—. Una región con un solo departamento: el Archipiélago de San Andrés, Providencia y Santa Catalina.

Las tres islas están habitadas por colombianos que hablan un inglés criollo. En el pasado de los isleños hay puritanos, piratas y aventureros; ingleses, franceses, holandeses y esclavos negros. En 1631 llegaron los primeros pobladores.

San Andrés es la isla más grande del país: veintisiete kilómetros cuadrados. Tiene forma de caballito de mar. Providencia y Santa Catalina están unidas por un puente de madera: la segunda es tan pequeña que no hay buses ni carros; se recorre a pie.

El archipiélago, además, está formado por islotes y cayos. Tuve que clavar los ojos para poder leer los nombres de estas moronas: Bajo Nuevo y Serranilla, justo al sur de Jamaica.

Quitasueño, Alburquerque, Cayo Bolívar, cerca de Nicaragua, al igual que las islas de San Andrés, Providencia y Santa Catalina. Serrana y Roncador un poco más al oriente.

—Todavía se presentan disputas por este archipiélago —me explicó papá Sese—. Algunos dicen que no nos pertenecen. Pero existen dos tratados, uno firmado por el gobierno de Nicaragua y otro con el gobierno de los Estados Unidos, que ratifican que es colombiano. Ahora esos sitios parecen muy lejanos pero si recuerdas que Panamá era nuestro, y también parte de la costa de América Central, sobre el mar Caribe, se entiende por qué nuestra bandera flota en esas islas y cayos.

Luego mi abuelo fue hasta su baúl y sacó un recorte de una revista y me lo entregó.

—Léelo y así matarás toda tu curiosidad— me dijo. Salí para la escuela, y antes del recreo lo había leído todo. Esto fue lo que aprendí:

Los cayos son tan pequeñitos que desde un avión se ven como manchas verdes y amarillas flotando en el agua. En ellos solo habita un puñado de infantes de marina, unas cuantas palmeras y cientos de aves marinas. Algunos se pueden recorrer a pie, en apenas 10 minutos. Sus aguas son ricas en todo tipo de animales marinos. Pero los pesqueros piratas siempre rondan por allí y han saqueado esta riqueza.

A Roncador y Quitasueño los bautizaron así porque los antiguos navegantes cuando pasaban junto escuchaban aterrorizados unos misteriosos ronquidos, como de ogro.

Serrana es el cayo más grande, el de más vegetación y el que tiene más riqueza pesquera.

En la noche volvimos al mapa y a las historias sobre otras islas y cayos colombianos en el Caribe. Mi abuelo me contó mucho más:

—Hay otras islas muy conocidas: las Corales del Rosario, 23 en total y Barú de 60 kilómetros, casi pegada a Cartagena.

—Tortuguilla e Isla Fuerte, frente a las costas de Córdoba y el archipiélago de San Bernardo —un rosario de 10 islas en el Golfo de Morrosquillo—. Están frente a la costa de Tolú, pertenecen a Cartagena aunque estén lejos.

—En el archipiélago de San Bernardo, dicen muchos, está la isla más poblada del mundo: Santa Cruz del Islote. En apenas una hectárea de tierra viven apiñadas más de 1.000 personas. "Duermen tan juntos —escribió alguien un día— que sueñan lo mismo"

—Solo hay una calle de 15 metros de larga; no hay espacio para parque, ni para cementerio, ni para sembrar una palma. Sus habitantes viven de la pesquería. Juegan futbol, cultivan sus palmas y entierran a sus muertos en Tintipán, la isla del frente.

—El desfile mortuorio es en canoas; en la de adelante va el ataúd. "Uno nace aquí rodeado de mar. Es hermoso que ya muerto lo paseen por él", me confesó una mujer de este islote.

Días después el abuelo me habló de Gorgona y Malpelo las islas de Colombia en el océano Pacífico... Gorgona está a doce horas de viaje desde Buenaventura. Los barcos que cargan madera llevan a los pasajeros hasta ella. Desde Guapi, en Cauca, es mucho más corto el viaje.

—Durante muchos años Gorgona fue una isla prisión. En 1984 se convirtió en reserva natural. Los científicos la consideran un "laboratorio viviente". Entre junio y octubre —como ocurre también en la ensenada de Utria —, visitan la isla las ballenas jorobadas. Hacen un viaje de miles de kilómetros —¡desde la Antártida!—, pues les encanta este sitio de aguas más calientes para el apareamiento y el nacimiento de sus crías.

—Las ballenas pesan al nacer tonelada y media y miden cinco metros. ¡Sus "papás" llegan a pesar 40 toneladas! Los científicos han grabado allí el canto de este mamífero; dura 15 minutos.

—Malpelo está aún más lejos; a más de un día de viaje por el mar. Allá viven cangrejos gigantescos, fragatas y gaviotas. Parece una mole de piedra anclada en medio del mar. Está

rodeada de 10 islotes y es santuario de flora y
fauna.

Muchas noches más volví al mapa para
mirar estas moronas de Colombia en el mar.
¡Sí, Serranilla y Bajo Nuevo son los puntos más
al norte de Colombia y están cerca de Jamaica.
Y Alburquerque, en el Caribe, y Malpelo en el
Pacífico son los puntos más al occidente.

# El fin de las historias
## de Papá Sesé

Muchas veces he vuelto a esculcar el baúl que heredé de mi abuelo. He leído y releído sus notas, sus apuntes, sus libros. He mirado y repasado los mapas y sus fotografías sin cansarme jamás.

Sí, ahora tengo la certeza de que Papá Sesé tenía una idea muy linda: armar con todos los recuerdos, con todos sus apuntes, una geografía. Pero una geografía distinta.

Una geografía escrita como un cuento para que los niños quieran mucho a Colombia. Los niños como el que yo fui cuando mi abuelo me llamaba "mi pequeño".

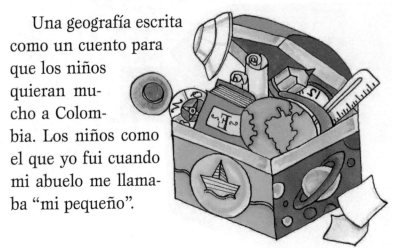